ものづくり興亡記

名も無き挑戦者たちの光と影

日本経済新聞記者
杉本 貴司
藤本 秀文
湯前 宗太郎

日本経済新聞出版

はじめに

日本の「失われた30年」――。

今や言い古された言葉だが、バブル崩壊から始まる日本経済界の失われた30年間は「製造業＝ものづくり」の衰退の歴史とほぼ重なる。

その衰退は造船や鉄鋼など重厚長大産業に始まった。かつては半導体や液晶テレビなどで世界を席巻したエレクトロニクス産業も中韓勢に追い抜かれ、その栄華は長く続かなかった。

ものづくりの分野でかろうじて世界に伍して戦っている自動車産業も、クルマのバリューがハードからソフトウエアへ、エンジンから電気へと置き換わる100年に一度のパラダイムシフトを前に、その流れをリードしているとは言いがたい。

その強さゆえに度々、米国などとの間で貿易摩擦の火だねともなってきた日本のものづくり産業。「メード・イン・ジャパン」からかつてのような輝きが失われて久しい。

日本のものづくりはなぜその輝きを失ったのか。その未来に光はないのか。このまま衰退の一途をたどってしまうのか――。こうした問題意識のなかから、日経産業新聞で立ち上げたのが連載「ものづくり記」だった。2021年10月から2年近くにわたり断続的に連載を続けてきた。日経電子版にも同時に公開し、多くの反響をいただいた。本書は「ものづくり記」をベースに大幅に加筆したものだ。

「ものづくり記」では毎回、会社ごとに連載したのだが、その会社や産業の歩みを象徴する拠点を舞台に選んできた。そこで働く人たちがどんな思いでこの国のものづくりの歴史を紡いでいったのかを再現しようというのが当初からの狙いだった。それぞれのシーンや証言をリアルに再現するため、大変失礼ながら連載では文中の敬称を省略させていただいた。本書でもそれを踏襲した。

本書でも基本的に会社・拠点ごとに構成している。それぞれの章に特に関連はないため、ご関心のある章から読み進めていただければ幸いだ。補足ながら、各章のダイジェストは以下の通りだ。

第1章の「今治造船」では、愛媛県今治市の小さな港湾を本拠とする造船会社がどうやって国内首位に成り上がったのかを描いた。大手企業から露骨なさげすみを受けながらしたたかに生き抜いてきた地方企業による下克上の物語だ。そこに、地方企業ならではの、どんな知恵があったのか。今、どうやって中国や韓国の巨大なライバルと向き合おうとしているのか。拠点としては便宜上、本社工場を題材としているが、瀬戸内海に散らばる造船所を一体運営するところにその強さの秘訣がある。

第2章は三菱重工業。広範な事業を手掛け重厚長大産業のコングロマリットのような会社だが、その中で航空機を担う通称「名航」を舞台に選んだ。世間の注目を集めたジェット機「MRJ」の開発現場は、どんな人たちがどんな思いで取り組んできたのか。悲願の国産旅客機開発計画はなぜ失敗したのか。そこにあった、本社との確執とは。なお、MRJは後に「三菱スペースジェット」に改称されたが、本稿では原則、MRJとする。

第3章は「日本製鉄」。わが国の鉄鋼業の象徴と言えば多くの方が官営八幡製鉄所を思い浮かべるのではないだろうか。ここではあえて、その八幡の流れをくむ君津製鉄所を選んだ。情報産業や環境技術との融合といった先端的な取り組みをリードしてきたのは君津であり、中国という巨大なライバルをつくりだしたのも君津だからだ。

第4章の「シャープ」は、ある意味で先述した日本のエレクトロニクス産業の盛衰を象徴してしまった。液晶で乾坤一擲の大勝負に出て、パナソニックやソニーに次ぐ地位に甘んじていたシャープが、「家電の王様」で天下を取った。そしてあえなく凋落した。ジェットコースターのような歩みから、なにが見えてくるのか。

第5章の「日立金属・安来工場」は、失礼ながら他社と比べれば地味な存在だ。だが、規模では劣っても確かな技術力で生き抜いてきた。本書では勝手ながら「変態工場」と命名したが、ハガネなら何でもつくる「メタモルフォーゼ（変態）」の力に敬意を込めたつもりだ。だが、そのオンリーワンの力が皮肉なことに品質不正という大失態を招いてしまった。近年、日本の大企業で続出する工場での不正に共通するものが、そこにあった。

第6章と第7章はホンダの研究所を舞台として選んだ。大きく分ければ第6章が自動車、第7章が「空飛ぶクルマ」など自動車以外の次世代モビリティーだが、共通するのがモビリティーの世界に起きつつあるパラダイムシフトにどう挑み、どうやって未来をつくろうとしているのか、である。

本書には多くの時代の証言者たちが登場する。実際の取材では、成功の物語というよりは失敗についてお聞きすることも多かった。失敗を自ら語ることはつらいことだが、インタビューに応じていただいた皆さんが一様に「今後の日本のものづくりのためになるなら」と、あえて実名での掲載に承諾いただけた。なお、皆さんの所属や肩書は原則、紙面掲載時か2023年末時点のものとさせていただいた。

本書で描くのは単なる敗戦や没落の物語ではない。そのストーリーからなにが見えてくるだろうか。この先も日本のものづくりが生き残っていくために、どんなヒントが読みとれるだろうか。受け取り方は読者の皆さんによってそれぞれだろう。明日の日本のものづくりについて思いを巡らせていただく一助になれば幸いだ。

目次

第2章 三菱重工業・名航――MRJはなぜ飛べなかったのか、空の名門の挫折

第3章
日本製鉄・君津製鉄所――
宿敵・中国を育てた伝道師たち、「鉄は国家」のＤＮＡ

第4章

シャープ・亀山工場——日の丸家電の栄光と凋落、液晶「オンリーワン」の驕り

第6章 ホンダ・和光研究所①――「異質であれ」、F1の救世主が紡いだ哲学

第 1 章

今治造船・本社工場

――瀬戸内から世界へ、造船一族の下克上

登場人物

檜垣正一 …… 今治造船の実質的な創業者。

檜垣俊幸 …… 1992~2004年に今治造船社長。2017年から社主。正一の三男。現在の今治造船を作った「中興の祖」。

檜垣幸人 …… 2005年から今治造船社長。俊幸の長男。大手重工系との提携を相次いでまとめる。

檜垣清志 …… 俊幸の実弟である栄治(正一の五男、元今治造船社長)の長男で、2020年から経営企画担当の専務。

黒川節弘 …… 今治造船元副社長。俊幸以降の側近であり「大番頭」として今治造船の成長を支える。

千葉光太郎 …… 日本鋼管(NKK,後のJFEホールディングス)出身のエンジニア。造船畑を歩み、2018年からNKK、IHI、日立造船の造船部門を統合して発足したジャパンマリンユナイテッド(JMU)社長に。

坪内寿夫 …… 「四国の大将」の異名を取った経営者。来島どっく(現・新来島どっく)の再建の手腕を買われ佐世保重工業などの再建に尽力。

瀬野洋一郎 …… 今治の大手船主「瀬野汽船」社長。愛媛県で初めて外航船を就航させた。

越智功和 …… 今治の外航船主「瑞穂産業」の社長

伊藤正裕 …… 蓄電池などの開発・製造を手掛けるスタートアップ「パワーエックス」創業者。

買収を繰り返し瀬戸内から世界規模の造船会社に

1901年	船大工の檜垣為治が檜垣造船所を創業
1940年	今治市や近隣町村の造船所と合併し、今治造船有限会社を設立
1955年	技術者の離散などで休業に追い込まれた今治造船の全株式を檜垣俊幸らが買い取り、再スタート
1962年	商船子会社の正栄汽船を設立
1971年	三菱重工業と業務提携
1979年以降	今井造船や西造船、岩城造船など近隣の10造船所を相次ぎ買収
1998年	今治造船グループが新造船建造量で国内トップに
2020年	業界2位のJMUと資本業務提携

かつて、この国は世界一の造船大国だった。建造量の世界シェアは1970年代までほぼ50％。つまり、七つの海を行き交う船の2隻に1隻は日本で作られていたのだ。

それも今は昔……。

現在では中国や韓国のメーカーが台頭し、建造量シェアは2割にまで落ち込んでいる。日立造船など造船業から実質的に手を引いた名門企業も多い。

輝きを失ったかに見えるかつての造船大国。そんな中で異彩を放つ会社がある。瀬戸内海に本拠を置く今治造船だ。

本州と四国を結ぶしまなみ海道は大小の島々と瀬戸内の青い海が織りなす風景を楽しもうと、今では多くの観光客が訪れる。およそ60キロの道の四国側に位置する来島海峡大橋。その橋の上から見下ろすと、入り組んだ山あいの小さな湾に今治造船の看板と、小さなドックが見える。ここが日本最大の造船会社の本拠だとは、そう言われなければ分からない。

もとをたどれば木造船をつくる船大工に行き着く。今治造船はここからどうやってのし上がってきたのか。もはや「勝負あった」にみえる世界の造船業界のなかで、日本の造船業に再び輝きをもたらすことができるのだろうか。

2021年9月。今治造船社長の檜垣幸人は三菱重工業の香焼工場（長崎市）に向かった。日本最大級のドックを持つ同工場での大型原油タンカー（VLCC）の命名式に出席するためだ。

今治造船と三菱重工は商船分野で提携していた。それまで三菱重工が液化天然ガス（LNG）船を連続建造していたので、次のLNG船の受注までの「つなぎ」として今治造船グループの正栄汽船がこの工場にVLCCを発注していた。

幸人は「アライアンスの成果の一つになればいい」と思っていたというが結局、これが三菱重工・香焼《こうやぎ》工場としては最後のVLCCとなった。その後、香焼工場は地場の大島造船所（長崎県西海市）に売却されることになった。

「君たちには無理だ」

幸人は多くを語らないが、特別な思いがなかったと言えば嘘になるだろう。

「君たちには無理だ」

この命名式からおよそ四半世紀前の１９９８年。三菱重工の幹部から投げられた、この言葉は今治造船の幹部たちの胸に長く焼き付けられている。

当時は造船の「新興国」である韓国にアジア通貨危機が飛び火していた。日本でも金融不安の中にありながら円高が解消したこともあり、造船業界には70年代と並ぶ勢いの造船ブームの活況が到来していた。

「どうしてもＶＬＣＣを自らの手で造りたい」。実質的な創業者の三男で、現在は社主である檜垣俊幸の思いは日増しに高まっていた。俊幸は１９２８年（昭和3年）の生まれで、２０２３年時点で95歳になる。ＶＬＣＣはVery Large Crude Oil Carrierの略で、その名の通り大型の原油タンカーを意味する。生産には高い技術力が必要とされるこの船を造ることはこの世界で一流に肩を並べることを意味する。俊幸にとっても今治造船にとっても悲願だった。

檜垣俊幸氏

その夢を実現するため、パートナーだった三菱重工に側近の黒川節弘が了解を得ようと「お伺い」に上がった。黒川は檜垣家を支え続けた今治造船の大番頭として知られる。しかし、あっけなく断られた。

「四国の田舎者にはできっこない」
「中手《なかて》がのさばるな」
今治造船は巨艦・三菱重工に比べれば取るに足らない存在だ――。そうはっきりとはいわないまでも言葉の節々に隠れた本音がひしひしと伝わってきた。

日本の造船業は戦後の高度成長期の造船ブームで多くの会社が各地で勃興した。しかし、2度のオイルショックや海外からのダンピング批判、そしてとどめを刺すことになった85年のプラザ合意に伴う円高で破綻が相次いだ。このため、国が2度にわたり設備の削減を求め、建造能力は半減した。

さらに、来島どっく（現・新来島どっく）が重工系大手の川崎重工業と、波止浜造船は石川島播磨重工業（現・IHI）と、今治造船は三菱重工と組まされた。業界で地場・オーナー系を指す「中手」は大手とグループ化され、ドックの建造量は長く国に管理されていた。

「それなら自分で造ってやろう」
俊幸や幸人らは腹を決めた。だが、肝心のVLCCは受注がない。そこで黒川らは今治造船が長年懇意にしていた川崎汽船社長（当時）の新谷功を訪れた。

「やりたいんならやってみなさい」

船価も決まっていなかったが、新谷はゴーサインを出してくれた。1999年のことだ。

この時点で今治造船にはまだＶＬＣＣ建造の実績はほとんどなかった。提携していた三菱重工からの指導はあったが、設計のノウハウがない。

黒川らが知り合いの間を動き回っていると「これを持って行きなさい」と声をかけてくれた人がいた。エンジンの取引で付き合いがある三井造船（現・三井Ｅ＆Ｓ）副社長（当時）の岩根昌雄だ。岩根は惜しげもなく今治造船が喉から手が出るほどほしかったＶＬＣＣの設計図を譲ってくれたのだ。

売り先も確保し、設計図も手に入れた。こうしてＶＬＣＣの建設に着手したのが西条工場（愛媛県西条市）の新ドックだ。国の指導の名残もまだあったが、中国の経済発展などもあって世界経済が勢いを増すと、大手の技術指導がなければ大型のドックをつくることができなかったこれまでの規制も有名無実化していた。

そんなタイミングで今治造船は勝負に打って出た。

大手支配からの脱却

2000年に西条工場の新ドックが完成し、VLCCの建造が軌道に乗り始めると、今治造船は2010年に三菱重工との提携を解消する。三菱重工が持っていた今治造船の株式を買い戻した。80年代から続いた「大手と中手」のすみ分け、大手による実質的な中手支配から脱却した瞬間だった。

「これからは大手と対等に話し合える」

その思惑は3年後に現実のものとなる。今度は逆に三菱重工の方から声がかかったのだ。LNGの共同受注会社の設立を打診された。こうして瀬戸内の中手は「対等な立場」でかつては仰ぎ見る存在だった巨艦・三菱重工とアライアンスを組むことになった。

大手のくびきから解かれた今治造船。とはいえ、造船・海運市場が折からの世界的な活況に沸くなかで台頭する中韓勢に比べると、日本勢はどこも小粒と言わざるを得ない状況が続いていた。今治造船が戦うべき相手はもはや三菱重工など、日本の船を牛耳ってきた名門企業ではない。「中手」の扱いを脱するとすぐに、世界に目を向ける必要に迫られたのだ。

今治造船西条事業所（愛媛県西条市）

常に世界の景気の波に翻弄されるのが宿命とも言えるのが造船業界だ。再び潮目が変わったのが２００８年９月のリーマン・ショックだった。

リーマン前に契約した新造船が出回った２０１１年をピークに受注が激減した。すると空いたドックを埋めようと中韓勢は赤字覚悟で安値受注に走った。その足元を見るかのように世界の海運各社は超大型のコンテナ船の建造を日中韓の造船各社に発注するようになる。こうして訪れたのが大型コンテナの一大ブームだった。

ここでも今治造船は決断を迫られる。

西条工場の新ドック開設で大型コンテナの建造にも参入することができた今治造船

にも、その波が押し寄せてくる。２０１０年代の半ばにさしかかると全長４００メートルのメガコンテナのオーダーが出てきた。しかも、一回の発注で最低でも5隻単位。さらに1年内に用意しろとのロット発注がくる。今治造船の建造能力を軽く超える規模の発注だ。

今治造船にメガコンテナ発注の打診をかけたうちの1社が台湾の海運大手、エバーグリーンだった。２０１３年から幸人がトップ営業をかけ、エバーグリーンの創業家との関係を作っていた。そのオーダーは「1年間に11隻手配してくれ」とのことだった。今治造船の身の丈をはるかに超える注文と言っていい。

このチャンスを逃せば注文は巨大な造船所を持つ韓国勢に流れてしまう――。意を決して幸人が「ドックを掘るまで待ってくれ」というと、エバーグリーンも「1年待つ」と答えてきた。

この間、中韓勢による安値受注競争の余波が広がり、じりじりと船価が下がり始める。幸人は「まさに市況がボトムの時に丸亀工場の拡張を決めた」と振り返る。しかし、これが縁で丸亀の新ドックが完成した２０１７年からの6年間でメガコンテナを含め、エバーグリーンの船を64隻造ることになった。

今治造船丸亀事業所

1位、2位連合

その後もメガコンテナの受注競争は続く。2017年に日本郵船、商船三井、川崎汽船の3社がコンテナ事業を統合すると、今治造船には6隻のメガコンテナの注文が舞い込んだ。それでも海外勢の背中は遠い。

「なんとか韓国勢に食らいついていかないといけない」

日本の造船業界そのものの地盤沈下が隠せなくなっていた頃に再び、世界経済の波が今治造船を揺さぶった。

2022年2月にロシアがウクライナに侵攻すると、欧州では陸路からのLNG調達が難しくなった。こうなると海路に頼るしかない。ただ、この当時、日本の造船業界はLNG船では韓国と比べて完全に後手に回っていた。

日本勢は工期の延長や相次ぐトラブルなどで赤字案件が続き、16年から受注ゼロの状態が続いていた。21年には韓国勢に世界のLNG船受注の9割を握られてしまっていたのだ。ここに中国勢が猛烈な勢いで攻め込んできた。22年に入ると中国が3割のシェアを握るまでになった。もはや、「勝負あり」である。

ＬＮＧ船に続きメガコンテナ船でも同じ失敗を繰り返せば、もはや日本の造船業そのものの命脈が尽きる瀬戸際という状況にまで追い込まれたと言っても過言ではあるまい。決断を迫られたのが、今治造船に次ぐ業界2位のジャパンマリンユナイテッド（ＪＭＵ、横浜市）社長の千葉光太郎だった。ＪＭＵはこの時点でＬＮＧ船の建造で失敗続き。命脈を保つにはメガコンテナ船で、絶対に負けられない。

ＪＭＵは日本鋼管（ＮＫＫ、現・ＪＦＥホールディングス）と日立造船の船舶部門、ＩＨＩの船舶部門、住友重機械工業の艦艇部門が統合してできた会社だ。もともとは三菱重工と比肩する「大手」の出身であり名門意識が強い。とはいえ、それも昔の話だ。すでに世界的なメガコンテナ需要に応えるためにドックを拡張する余力さえなかった。

「コストでは負けていない。しかし船価は韓国勢が1～2割安い」

千葉はこう証言する。コスト競争力では互角なのに、なぜ実際の船の値段では1～2割もの差を付けられてしまうのか。そのカラクリは国を挙げての産業育成策の違いにあった。

韓国勢は採算が取れなくても政府系の産業銀行が保証して資金支援している。実質的な政府の介入には他国から非難の声があがっていたが、韓国は意に介さず受注攻勢をかけていた。ＯＮＥの受注競争には韓国勢も加わっていた。

「これは、オチオチしていられない」

ＬＮＧ船でＪＭＵと同様に辛酸をなめた今治造船も同じ思いだった。

今治造船とＪＭＵはこのＯＮＥの発注を共同で受けることを決めた。今治造船の西条と丸亀、ＪＭＵの広島県呉市の工場でそれぞれ2隻ずつ建造する。これをきっかけに今治造船とＪＭＵは関係を深め、２０２０年に今治造船がＪＭＵに3割出資する資本提携を結んだ。同時にコンテナなど商船の設計と営業を手掛ける日本シップヤード（ＮＳＹ）も共同で設立した。出資比率は今治造船が51％、ＪＭＵが49％と今治造船が過半を取った。

「まさかＪＭＵが目の上のたんこぶと思っていた弊社と本当に組むとは思ってもみなかった」

交渉に参加していた今治造船専務の檜垣清志は振り返る。清志は今治造船の実質的な創業者で社主である俊幸のおいで、社長の幸人のいとこにあたる。ＮＳＹの副社長も兼ねることになった。

かつての「中手」が名門企業の系譜を継ぐ大手を実質的に支配する形で生まれたのが、この業界1位、2位連合だ。ＪＭＵ社長の千葉も「今までは考えられなかった組み合わせ」だと認める。

かつて仰ぎ見た名門企業を次々と従えていった今治造船。ＪＭＵを合算すれば国内建造量ではは半分のシェアを握るガリバーに上り詰めた。ただし、それでもようやく世界に打って出る態勢が整ったに過ぎない。アジアに目を向ければ中韓勢の背中が近づいたとは、まだまだ言えない。今治造船はどう立ち向かうのか。来たるべき世界戦に話を移す前に、そもそも瀬戸内の弱小造船会社だった今治造船がどうやってのし上がってきたのか、その経緯を詳しく振り返りたい。

造船一族

瀬戸内海一帯は古くから海運で栄え、今も多くの造船所が存在する。ただし、その多くが一般には名が知られていない中小企業だ。

今治造船もそんなちっぽけな地方の造船会社のひとつだった。本拠を構える今治市の波《は》止《し》浜《はま》湾は波が穏やかな天然の良港で漁港や塩田として人が集まっていた。ただし、波止浜の向こうの海は潮の流れが速く航海の難所といわれた来島海峡だ。船を出すのは風や潮とのにらめっこになる。波止浜にはいわゆる「潮待ち」、「風待ち」の合間に船を修繕するため、船大工たちも集まってきたという。やがて7つの小さな造船所が立ち並ぶ「造船長屋」がつくられた。

1901年に檜垣為治がつくった檜垣造船所もそのひとつだった。地元の船大工を集めて木造の一本釣り漁船や伝馬船を造ったり修繕したりしていたという。これが現在の今治造船の源流となる。

為治の次男である正一が船大工として修業した後に会社組織とし、戦時中に国家統制で地元の他の5つの造船所や建設会社などと合併させられ今治造船が生まれた。社長など幹部職は有力商工業者が占め、現場の船大工を抱える「棟梁」であった檜垣家は総監督の地位にとどまった。

太平洋戦争が終わると、正一は長男の正司らと今治造船を飛び出して独立した。船大工の大半を失い休業に追い込まれた今治造船が支援を要請してきたため、正一は俊幸が資本金30万円をかき集めて今治造船を買収し、それ以降、檜垣家が社長として後を継いでいる。波止浜に生まれた造船一族だ。

王位継承権を示す「背番号」

こうして新たに船出した今治造船。ここまでに何人もの「檜垣」が登場している通り、その後も造船一家である檜垣家が名実ともにオーナーとして君臨し続けている。今や日本の造船業界のガリバーという地位に上り詰めたとはいえ非上場企業でもあり、典型的な地方の同族企業といえる。

その中でも今治造船の中興の祖と言われ、現在の今治造船の形を築いたのが、為治の孫で正一の三男にあたる俊幸だ。1970年代に起きた2度の石油危機で立ちゆかなくなった地元の造船会社を次々と買収して、「波止浜の造船所」を瀬戸内の雄へと飛躍させていった。

ただし、前述の通りその実態は地方の同族企業だ。象徴的なのが檜垣家の面々に付けられた「背番号」である。

背番号は「2－1」のように、ふたつの数字で表される。最初の数字が実質的な創業者である正一から見て何番目の息子にあたるかを示す。正一は5男6女を持つ子だくさんだが、「王位継承権」が与えられるのは男だけだった。ふたつ目の数字は5人の息子の何番目の息子かを示す。つまり正一から見て何番目の男の孫かを示すわけだ。

例えば、前出の檜垣清志の背番号は「5－1」。正一の五人目の息子である栄治の長男にあたるからだ。現社長の幸人は「3－1」。同じように正一の三男である現社主の俊幸の長男だからだ。ちなみに栄治も俊幸も今治造船社長を歴任している。背番号を持つ檜垣家の出身者たちは今治造船の本体だけでなくグループ会社にも散らばる。

特に大企業ともなるとガバナンスの透明性が求められる現代の視点から見れば、いかにも昭和の遺物のような統治形態に見えるし、事実そうだろう。現在では人材獲得のためにもその閉鎖的なイメージの払拭を急いでいる。

ただ、世界経済の動向に常に振り回される宿命を背負う造船業界にあって、いびつと言える同族支配が力を発揮してきたこともまた、事実である。攻めに出るべきか、守りに入るべきか――。先行きの見えない中での大きな決断を下せば、グループ中に散らばる背番号保有者たちが一糸乱れぬ統率のもとで動くからだ。

したがって、王位継承にあたっては単純に背番号の数字が優先されるわけではない。「他の親類と協調して事にあたれるかどうか。それぞれの個人が持つ能力に合った適材適所で役職が決まる」。ある今治造船幹部はこう証言する。実際、現社長の幸人の背番号は「3－1」であり、順番通りなら第一継承権を持っていたわけではない。現時点で実質的な「キングメーカー」は俊幸だろう。ただ、次の社長の選出についてはどのような力学が働くかは、現時点では見通せない。

異形の同族企業と言える今治造船にとって重要な存在なのが、歴代の「檜垣」を支える番頭の存在だ。前出の黒川節弘がその代表格だ。社主である俊幸の14歳下にあたる。俊幸の代から側近中の側近と言われ、息子の幸人も支え続けてきた。今治造船のすべてを知る男と言われてきた。
この異形の同族企業が、どうやって波止浜の小さな港からのし上がっていったのか。カギとなるのが、「瀬戸内丸ごと造船所」の構想だ。

「クビは切らない」

「あのときは韓国に売り飛ばされるかと思いましたよ」

今治造船グループ最大のドックである丸亀工場から岸壁続きに隣接する多度津造船（香川県多度津町）。総務勤労チーム長の田中雄一はこう振り返る。

この50年ほどで日本の造船業界では大小様々な規模の合従連衡が繰り返されてきた。この造船所もまた、そんな荒波の中で「あるじ」を変えながらここまで生き延びてきた。

源流を遡れば戦後にできた波止浜造船という会社にたどりつく。その名の通り、今治造船と同様に波止浜に居を構えていた。その波止浜造船が多度津に工場をつくったのが1973年のこと。この年の10月に第4次中東戦争が勃発し、世界を石油危機が襲った。その5年後に2度目の石油危機が起きるとあっけなく倒産してしまった。

その後、ハシゾウ（現・あいえす造船）という会社を経て、2000年に広島県福山市に本拠を置く常石造船に吸収された。田中は原点とも言える波止浜造船の入社だ。

多度津造船の流転はその後も続いた。

2013年には常石造船も多度津に持つドックをフィリピンのセブ島に移した。空いたドックを譲り受けたのが今治造船だった。そのドックを眺めながら田中は「地元にいる家族のことを考えると気が気でなかった」と振り返る。

14年に今治造船が多度津を引き継ぐと設備を更新し、雇用も維持された。今ではグループで初めてLNGの燃料タンク開発・製造を手掛け、タンクを搭載した自動車運搬船を建造するまでになった。

今でこそ国内トップの今治造船だが、荒波にもまれ続けてきたのは多度津造船と同じだ。1901年の創業当時は木造船を造る船大工集団にすぎなかった。戦後になっても仕事はなく、前述の通り檜垣正一が船大工を連れて独立すると休業に追い込まれた。その後に正一の三男である俊幸が地元の有志を募って再出発する曲折があった。

高度経済成長期には国内造船業も活況となるが、70年代の石油危機で他の造船会社と同様に試練に直面する。国が過剰設備の削減を二度にわたって「指導」してきたものの、俊幸は「どうしても造船業を続けたい」とこだわった。打開策として今治造船は立ちゆかなくなった他社の営業権を買い取り系列化していったのだ。多度津もそのひとつだ。

多くの造船所の経営を引き受けていくなか、一貫して守ってきたことがある。「買収した造船所の社員のクビを切らない」ということだ。

今治造船は瀬戸内の造船所をこれまで10社傘下に入れたが、どの造船所の従業員も削減したことはない。2022年3月時点で従業員は1660人。グループ会社も入れると3000人を超える。

社長の檜垣幸人は「経営幹部も2〜3人派遣しているだけ。その会社の従業員を信じて彼らの力で復活してもらう」のが今治造船流のM&Aだと力説する。むしろ「給与などはグループの水準に徐々に引き上げていく」と言う。「やる気を持ってくれれば社員も自ら新たな取り組みに挑戦してくれる」からだ。

近年でも、2018年に三井造船（現・三井E&S）や商船三井などの要請を受けて買収した南日本造船（大分市）も、再建から5年が経った。「かつては商船三井からの指示待ちだったが、（現場の社員たちは）改善活動などを率先してできるようになり、経営も軌道に乗った」と、同社の社長を兼務する今治造船専務の檜垣清志も話す。

1%の値引き

「共存」を是とする経営手法はM&Aにとどまらない。鉄鋼メーカーなど取引先との関係にも貫かれている。

「うちは一切、相見積もりはしない」

俊幸の時代から長年、側近として創業家の経営をみてきた特別参与（前副社長）の黒川節弘はこう言い切る。その代わり、「他社より1%でいいから値引きしてもらう」というのが黒川のやり方だ。5%とか10%下げてくれとはいわない。その代わり、急な発注や需給がタイトな際でも優先的に資材を供給してもらえる関係を築いてきたのだという。

1995年、急激な円高に見舞われた時、黒川は当時の運輸省に呼びつけられた。「御社は海外から鋼材などの調達をしますか」との問いに黒川は「一切考えておりません」と答えた。後で周囲に聞くと「海外から調達しないと答えたのは今治造船だけだった」という。

船価の大半を占める鋼板価格を下げられれば船価も安くでき、船主からの注文は一時的に増えるかもしれない。だが安易に中国や韓国の鉄鋼メーカーになびいてしまい、国内の調達先から鋼板を買いたたくと、「国内メーカーはそっぽを向く」。そうなってしまえば、後から仮に納期や品質で劣る海外製の鋼板に懲りて国内から買おうとしても鉄鋼メーカーは相手にしてくれないだろう。

今や瀬戸内の「海事クラスター」の中核的存在となった今治造船の強みは、この「共存共栄」のための絶妙な信頼関係を構築したことにある。

「四国の大将」の挫折

今治造船には、同じ今治に本拠を置くライバル企業が存在した。「四国の大将」と呼ばれた坪内寿夫が率いた「来島どっく」だ。

坪内はシベリア抑留から引き揚げ、父から引き継いだ映画館の経営で得た資金をもとに来島船渠など造船や汽船会社、ホテルなど幅広い業種で企業再建を手掛けてきた。

再建王としての実績を買われ、時の首相の福田赳夫や、新日本製鉄（現・日本製鉄）会長や日本商工会議所会頭を歴任した永野重雄の要請をうけ、佐世保重工業の社長に就任して再建に携わった。

坪内の再建手法は時に「強権的」、「徹底した合理化を課した」とも評される。坪内の社長就任時に5500人ほどいた従業員は、1年後には3400人にまで減った。それに反発した労働組合は延べ196日にも及ぶストライキで対抗するなど、その労働争議は全国的に話題となった。

坪内は割賦販売を導入したり、同一タイプの船を大量生産して高価だった鉄鋼船を地元の中小船主たちに売り込んだりするなど、当時としては画期的な取り組みもした。

佐世保重工業は来島どっくで培った手法で何とか再建への道筋がついたが、1985年に三光汽船という会社が経営破綻すると一転する。来島どっくグループが三光汽船向けに建造していた船舶の代金を回収できなくなったためだ。さらに同年のプラザ合意による急速な円高がとどめを刺した。

立志伝中の人物である四国の大将もまた、造船業界を襲う荒波にのみ込まれてしまったのだ。坪内は私財をなげうって同グループを再建させようとしたが、その思いも届かず、来島どっく傘下の13社の造船会社を含め、グループは銀行団によって解体された。

対照的だったのが今治造船だ。傘下に入れた造船会社の人員削減はしない。「経営がうまくいかないのは悪い部分があるからで、それを取り除いて、長所を伸ばしていけば再建できる」と黒川はいう。

今治造船は傘下入りした造船会社の個性に応じて設備投資をして得意な領域に特化させル経営手法を採った。

ただし、放任経営なのかといえば、まったく異なる。

M&Aでグループが手掛ける船の種類を広げる一方で、似たような機能をもつドックについては互いに競わせる。鋼板は本社が一括して調達して各ドックに支給するため、同じ船型なら容易に工場間の建造コストの比較ができる。

黒川は「数字がデータとして上がってくるので、一方の工場の何がよくて何が悪いかがわかる。その悪いところを改善することでグループ全体の技術力があがる」と言う。

この手法は現在も変わらない。

例えば、丸亀工場と西条工場、そして提携先のJMU呉工場（広島県呉市）の3拠点で建造する世界最大級のメガコンテナ船。西条工場長の東照文は「工場長同士はいい緊張感の中で競い合いながらいい船を造れるよう努力している。本社で顔を合わせるときは情報交換も欠かさない」と証言する。

「船主」の側にも立つ戦略

積極的にライバルを傘下に取り込むことで瀬戸内海に散らばるドックごとに得意な船を手分けし、一方では数字をもとに競争原理を働かせる「共創と競争」にこそ、今治造船が数々の荒波を乗り切り造船業界で国内トップに上り詰めた秘密があった。

ただ、今治造船の差別化戦略は船を造るドックにとどまらない。注目すべきは1962年に設立した正栄汽船を通じた船主業だ。造船会社にとってのお客の領域にまで手を広げたのだ。

なぜ今治造船は船を造るだけでなく使う側に回ったのか――。そこには造船業界がおしなべて直面してきた宿命に、今治造船なりの解を見いだそうとしたからだ。好不況の波に揺れ続けてきた造船業界にとって、最大の課題はドックの安定稼働だ。

今治造船も過去に幾度となく受注が途絶えたことがあった。その時に船主業としての正栄汽船が今治造船に発注して船を建造させ、ドックが空くのを防いだ。

いざ海運市況が回復すれば、その船を他の船主に売ったり、海運会社に船を回したりして投資を回収してきた。

正栄汽船の役割はそれだけではない。新しいタイプの船の発注・引受先としての役割だ。地元の船主や海運会社、商社などを呼んで新タイプの船に実際に乗ってもらい反応を得る。受注待ちではなく、他社に先駆けて新しい型の船を造り、船主などのニーズを素早く反映させることで新しい市場を開拓していった。例えば、現在のタイプの自動車運搬船は今治造船がパイオニアだ。

「用船」の効用も見逃せない。海運会社が超大型のコンテナ船を至急手配しようとしても手元に資金が十分にない場合は、正栄汽船が保有する船を貸し出す。

もちろん商売相手は大手の海運会社だけではない。地元の中小船主が資金を用立てしたい時も正栄汽船の出番だ。今治造船社長の檜垣幸人は「船を残価で買い取ってあげると非常に喜ばれる。船主にとっては新造船建造の資金にもなる」と話す。正栄汽船を様々な形で活用する船主業と造船業の「二刀流」で、浮き沈みが激しい海運市況の荒波を乗り切ってきたのだ。

自社を頼って傘下に入る同業他社に顧客である船主、そして鋼材の調達先に信頼関係を築く姿は、近江商人に伝わる「三方よし」の精神を体現すると言えるだろう。その絆は一朝一夕で築かれたものではない。

「一杯船主」との絆

「しょうがないなぁ……」

地元今治の外航船主のひとつである瀬野汽船社長の瀬野洋一郎は、暗い表情を浮かべながらうつむく黒川節弘に、こう声をかけた。黒川は檜垣俊幸の時代から今治造船を支え続ける大番頭だが、その男がいつになく小さくなっている。

2018年、中韓勢の安値受注の攻勢を受けて今治造船をはじめ国内の造船所は受注が落ち込んでいた。それを気遣った瀬野が2隻のフェリーを発注したのだが、全室を個室に切り替えたため建造コストがかさんでしまった。

「損した」と社主の俊幸がつぶやくのを聞いて船価交渉をしていた黒川が出向き、「なんとかもう少しお金を出してもらえませんか」と懇願したのだった。

見かねた瀬野は追加の支払いに応じ、船価を1割ほど引き上げて80億円にした。今治造船にとっては客船の建造は長年の夢だった。それまで今治造船が手がけるのは貨物船やコンテナ船が中心で、客船の建造は三菱重工など総合重工メーカーが担ってきたからだ。

乗員定員が800人から500人に減ったが、その後に新型コロナウイルスが流行したこともあり、「結果として個室にしたことが生きた」と瀬野は苦笑いしながら振り返る。

「船主と共に伸びる」

今治造船で最大規模を誇る丸亀工場（香川県丸亀市）にある90メートルの巨大クレーン

には、こんな言葉が大書されている。浮沈の激しい業界で、今治造船は船主と支えあいながら大きくなってきたからだ。

その絆を遡っていけば、地元の今治で古くから受け継がれてきた持ちつ持たれつの関係が存在する。

父が船長で母が機関長、子供は飯炊き——。家族総出で1隻の木造船を運航する零細海運業者が今治船主の走りだ。常に「いっぱい、いっぱい」の暮らしだから「一杯船主」と呼ばれた。

お金の工面も「いっぱい、いっぱい」だ。近代的な銀行からの融資が始まるまでは知人同士でお金を出し合って修繕費などを賄う「無尽」で支え合ってきた。地元の第二地銀である愛媛銀行も、県内の無尽5社が合併して誕生した愛媛無尽の流れをくむというから、この地域に根付いた共存共栄の知恵だったと言えるだろう。

持ちつ持たれつは、高度経済成長期にさらに発展する。1950年代に入ると、海上物流の主役が木造船から鉄鋼船に代わったことで船に不動産としての価値が認められた。一杯船主から20隻超の外航船を保有するまでになった今治市の東慶海運。相談役の長谷部安俊も、64年に初めて鉄鋼船を発注したのを機に今の会社を立ち上げた。金融機関が船を担保に船主への融資を始めたのを契機に地銀の存在感が高まっていった。

そんな黎明期を経て造船業界を襲った第1次石油危機。一転して大不況に直面した今治造船を救ったのは、船主たちだった。

「なんとか8000トンの船を1隻造りたい」

今治造船を切り盛りしていた俊幸に声をかけたのが地元の外航船主である瑞穂産業社長の越智功和だった。ふたりの交渉は2晩に及んだ。

最終的には5億円弱で決着したのだが、これは他社よりも1億円以上安い破格の船価だった。当時は今治造船にとって最大のドックである丸亀工場が完成したばかりでもあり、今治造船にとっては新鋭ドックが生き延びるための救いの手となった。実際、造船不況にさらされる今治造船の経営もこれで一息ついたという。一方の越智も、「うちのために唯一の船型で造ってくれた」と、この値引き交渉が一方的な「貸し」ではなかったと振り返る。

こうして今治造船が不況を乗り切った一方で、瀬戸内海には激しい淘汰の波が押し寄せていた。当時は今治造船より規模が大きかった波止浜造船が倒産し、1979年には今井造船と西造船も経営が行き詰まり今治造船の傘下に入った。

2008年のリーマン・ショック時には今治造船は資金繰りに苦労する船主たちに助け

舟を出した。社長の檜垣幸人が、今治造船製の船を求めに応じて残価で買い戻す決断を下したのだ。「船を買い取れば船主に（新造船の元手となる）自己資金ができる。市況がよくなれば、また発注してもらえる。船主とは持ちつ持たれつの関係だ」と、その狙いを話す。

今治海事クラスター

「より大きい船でより遠くへ運ぶ」

これが今治の船主たちに伝わる金科玉条だ。もともとは潮が速い一方で外海と比べれば波が穏やかな瀬戸内海で海運を支えてきた今治船主だが、その目は海外に向けられていた。

材木の需要が高まれば東南アジアへ、鉄鉱石が求められればオーストラリアへ――。1トンでも大きい船で遠くへ速く運ぶ。船主同士で新たな商売のネタを探しに海外の視察に訪れるようになった。

一杯船主から身を起こした東慶海運の長谷部も、瑞穂産業の越智とともに東南アジアに視察に訪れた。1968年のことだ。そこで目にしたのは続々とコンテナ港が建造されていく東南アジア各国の活況ぶりだった。

「これからはコンテナ船の時代だ」

長谷部はそう確信したという。ただ、当時はコンテナ船の建造が始まったばかり。「買うときは高くて売る時は安いスポーツカーのようなもの」と言われた。貸し倒れを懸念して融資を渋る銀行も多かったという。

そこで越智が頼ったのが伊予銀行だった。

「そこまで言うならやろうじゃないか」

難航を予想していたが、融資のゴーサインはあっけなく出た。石橋をたたいても渡らない堅実経営が伊予銀行の特徴だったが、越智は「これからはコンテナ船だとわかっていたのではないか」と振り返る。

海事産業への融資は愛媛の地銀の稼ぎ頭でもあり、伊予銀行、愛媛銀行ともに貸出金残高全体の2割超を占める。時に100億円を超える新造船の建造には船主、そして伊予銀行や愛媛銀行などが資金を互いに出し合いながら資金の手当てをする。

こうして固い絆で結ばれ数々の海運不況を乗り切ってきた「今治海事クラスター」。しかし、その未来は盤石とは言えない。

2000年を過ぎると、強大なライバルが出現してきたからだ。急速に力を付ける韓国・中国勢だ。

財閥グループが持つ豊富な資金で韓国の造船会社は巨大なドックを相次いで建造し、1カ所で連続建造することでコスト削減を進めてきた。一方の中国でも「海洋強国」を掲げ共産党政府主導の再編で巨大化してきた。

メーカー別に見れば世界シェアの1～4位には中韓勢の名がずらりと並ぶ。中国船舶集団を首位に2位以下には韓国の現代重工業、大宇造船海洋、サムスン重工業が続く。世界首位の中国船舶集団の建造量は今治造船の3倍に達する。規模で勝る中韓勢の船価は日本勢よりも10～20%は安く、日本の造船所はコスト競争で後じんを拝している。

船を安く建造できれば運賃も抑えられる。荷主の獲得競争の面で少しでも優位に立ちたい日本の海運会社から中韓メーカーへの発注が増えるのは当然と言っていいだろう。今治の船主でも海外の造船所に発注するケースは少なくない。

元一杯船主の苦言

「どこへ発注するかは我々の手の内にある。わざわざ高い船を日本で造るなんて本来はありえない」

こんな赤裸々な心情を吐露したのが、今治造船と強固な関係を築いてきたはずの今治の外航船主のひとつ、瀬野汽船の瀬野洋一郎だ。2020年、国土交通省や造船会社の関係者が集まり造船業界への支援策を協議する「海事イノベーション部会」での一幕だ。

中韓勢の安値攻勢の前に立ちすくむ今治造船を助けるように客船の船価を上げて受注することを承諾したはずの瀬野がなぜ、官民の業界関係者たちが一堂に会する席で「国産船不要論」とも受け取られかねない言葉を発したのか。

発端は当時、日本造船工業会のトップだったIHI相談役の斎藤保が「日本はいい船を造る。中韓には負けていない」と述べたことだった。

瀬野は自社で抱える50隻以上の船を全て、今治造船や名村造船所など国内メーカーに発注してきた。「日本の造船所をなんとか残していきたい」との思いがあるからだ。そんな瀬野にとって造船業界全体の長たる者の発言が、のんきなものに思えてならない。現状に疎い大手企業の感覚の鈍さに、我慢ならなかったのだ。

ただでさえ巨大化した中韓勢の背後には政府の全面支援が存在しているのも、日本と大きく違う点だ。

ダンピング受注のせいもあって2019年に韓国第2位の大宇造船海洋は経営破綻の危

機に直面した。韓国政府は救済に1・2兆円の公的資金を投入するとともに同国トップの現代重工業への経営統合を画策した。

この統合計画は欧州の競争当局の反対もあり頓挫したものの、赤字受注でも国が保証する韓国は世界貿易機関（WTO）からの提訴についても受け入れる様子はない。

国際社会からの批判を受けても国が造船業を支えようとする韓国政府と比較して「造船所が再編などの努力をすれば政府も法律や税制などで支援する」というスタンスをとり続ける日本政府の対応も腹立たしかったという。実際、瀬野は今治造船の幹部と連れだって現状を訴えに自民党や政府に何回も足を運んだ。

もちろん、この点に関しては意見が分かれるところだろう。日本政府が造船会社の支援に回れば、国民の税金をゾンビ企業の延命に使うことになりかねない。

少なくともここで言えるのは、縮小する日本の造船業界が対峙するのは、そんな自由競争の論理を超えた相手だということだ。そんな中韓勢に対抗する手立ては、正直なところ限られていると言わざるを得まい。

それでも瀬野は「今後も中韓勢に発注するつもりはない」と言い切る。瀬野が率いる瀬野汽船など「エヒメオーナー」の総力を合算すれば、外航船で日本全体の3割にあたる約1000隻を握る。その規模はギリシャ、北欧、香港に並ぶ世界4大船主の一角を占める計算となる。

「海の街」として栄えてきた今治が誇る造船所、船主、金融機関の三位一体で規模に勝る中韓勢にどう対抗するか。新たに戦略を練り直す時期に来ている。

スタートアップとの握手

「どうせやるなら、出資も考えましょう」

2021年9月、今治造船社長の檜垣幸人は1世代ほど若いスタートアップのトップの話に耳を傾けていた。相手は蓄電池やそれを積んだ電気運搬船の開発を手掛けるパワーエックス（東京・港区）を創業した伊藤正裕だった。

伊藤とはすでにウェブ会議で対面していた。「洋上風力の送電線の代わりに電気運搬船で電気を運ぶ」と聞いたとき、幸人は「正直、びっくりした」と振り返る。夢を熱く語る伊藤に「思いもよらない発想に感動した。その夢に懸けてみよう」と共感し、トントン拍子に話が進んだ。その年の12月末には今治造船の本社で2人は調印を交わした。

その直後にロシアによるウクライナ侵攻に伴い、エネルギー価格が高騰した。日本政府は天然ガスの供給基地であるサハリン2の権益維持に必死だが、状況次第ではどうなるか

今治造船本社工場

はわからない。パワーエックスは現在、丸亀の対岸にある岡山県玉野市に大型蓄電池の工場を建設している。そこで造られる蓄電池をコンテナのように載せて電気を船で運んで各地に融通しようという。世界初の試みだ。

設計にかかわるパワーエックスの村山利文は「電気を運ぶだけでなく1号船から電気推進船として世に出していきたい」と話す。北欧を中心に電気推進船は普及し始めている。欧州の認証機関であるDNVによると、2022年10月時点でハイブリッドや建造中も含めた電気推進船は662隻ある。そのうち、欧州が411隻。なかでもノルウェーでは255隻が運航している。

電気運搬船の運航には港での充放電施設の整備や洋上風力の風車を建設しやすい海域の拡張など、インフラ整備の面で国の支援が欠かせない。日本政府が策定する海洋基本計画でも電気運搬船の開発を支援する検討も進められている。今治造船も世界初となる同船の建造をパワーエックスと日々練っている。

始まったエコシップ競争

「エコシップ」はなにも電気運搬船に限らない。今治造船は大手企業との提携を矢継ぎ早に打ち出している。

２０２２年9月には、日立造船から分社したエンジン子会社「日立造船マリンエンジン」に35％出資する契約を交わし、アンモニアや水素などを燃料にした「ゼロエミッションエンジン」の開発などに取り組む。

２０２１年に資本提携した業界2位のＪＭＵとの共同出資会社である日本シップヤード（ＮＹＳ）は２０２６年をメドに二酸化炭素（ＣＯ２）を出さないアンモニアを燃料とした20万トン超の大型ばら積み船を開発し、今治造船の西条工場で建造する予定だ。

ただ、こうした次世代エコシップの開発でも、日本勢を規模で圧倒してきた中韓勢が立ちはだかる。

付加価値の高いＬＮＧ船では日本勢の受注は２０１６年以降ゼロだ。今治造船も18年にＬＮＧ船を竣工したが、製造コストが膨らみ、収益を圧迫した。それ以降、受注活動を手控えている。新型のタンクを採用したＪＭＵも赤字になる原因となった。

こうしている間にも、中韓勢はＬＮＧ船の開発で培ったＬＮＧタンクのノウハウなどを活用し、ＬＮＧを燃料に使う次世代船への転換をいち早く進めてきた。コンテナ船ではすべてＬＮＧを燃料に使えるよう切り替えも終わったとされる。安くＬＮＧタンクを造れる技術をいち早く確立したためだ。日本はＬＮＧ船の建造を中断している間に先を越された。今治造船の大番頭である黒川節弘は「技術的に難しいわけではない。メンブレン式のLNGタンクを張る職人の確保が難しい」と語る。

アンモニア燃料船についても中国の国有造船会社である大連船舶重工や韓国のサムスン重工業などが開発に着手しているもようだ。

再び世界へ

日本勢の中国シフトも気になるところだ。ゼロエミッション船の設計・開発力がある三井E&Sホールディングス（当時）傘下にあった三井E&S造船（その後、2022年に常石造船の連結子会社に）は、中国の民営造船最大手である揚子江船業と合弁工場を建設した。液化水素運搬船に力を入れる川崎重工業も主力拠点は中国にある。

半導体や液晶など電子部品は過去に中韓との合弁会社を経由して、技術を習得し力を付けてきた経緯がある。造船も同じだが、ゼロエミッション船でも同じ過ちが繰り返される懸念は拭いきれない。

「中韓勢とLNG船で張り合っても消耗戦になる。まだ世に出ていないアンモニア船などで規格や世界標準をとっていきたい」

今治造船専務の檜垣清志はこう話す。アンモニアは毒性があるため客室への流入防止などの対策が欠かせない。ルールの策定段階から欧米の発言力の高い団体と積極的に連携し、規格作りを通じ事業化の主導権を握りたいという。

追い風も吹く。商船三井は従来計画より2年早い2028年に導入を始め、35年までにアンモニアなど次世代燃料で運航する船を110隻調達する。日本郵船も「当初計画の2034年より早く導入できる可能性がある」として、29年度にもアンモニアを燃料とする自動車運搬船を採用することに意欲を示している。

当面、日本ではメガコンテナや自動車運搬船などの競争力を高めながら、アンモニアや水素などの次世代エコシップの開発を進めていくことになる。今治造船も参加する電気運搬船も含め、認証や規格作りに参画し主導権を握れれば勝機はまだ残されている。

かつて三菱重工業やIHIなど総合重工系メーカーの配下にあった「中手」の位置から国内最大手にはい上がってきた今治造船――。鉄鋼・重工系の大手であるJMUとの提携で、国内建造シェアでは50%を占める。

国内の過当競争はようやく終わり、世界に再び打って出る態勢は整ったと言えるだろう。エコシップなど「技術」でブルーオーシャンを開拓できるか。中韓勢との規模の差を考えれば難路と言わざるを得ないだろう。だが、そこに希望がないわけではない。日本のものづくりを支え続けてきた瀬戸内の片隅で、再び挑戦が始まった。

第 2 章

三菱重工業・名航

――ＭＲＪはなぜ飛べなかったのか、空の名門の挫折

登場人物

岸信夫……元三菱重工業の航空機エンジニア。「戦闘機のエース」と言われたが、MRJのチーフエンジニアに起用される。

滝川洋輔……三菱航空機でMRJを世界の航空会社に売る営業部長を務める。主にエンジン畑の「名誘」を歩んだ。

佐治浩一……岸や滝川の2年後輩。名航に配属され主に営業畑を歩む。後に住友精密工業に転じる。

川上光男……国土交通省出身。MRJの認証チームを率いる。

アレックス・ベラミー……カナダ・ボンバルディア出身の航空機エンジニア。型式認証取得のエキスパートと目され、岸に代わってMRJのチーフエンジニアに起用される。

谷口直樹……石川県の建機メーカー「北菱」社長。航空機エンジン部品への参入を目指す。

上田晋作……「名誘」の出身。独立して航空機関連コンサルタントに。滝川の元部下。

五十嵐健……住友精密工業出身。航空機への参入を目指す中小企業連合の「JAN」を結成。

三菱重工と「名航」の歩み

1920年	三菱内燃機製造の名古屋工場として発足
戦前・戦時中	「零戦」など数々の軍用機を生み出す
1962年	国産旅客機「YS-11」が初飛行も巨額赤字に
1987年	戦闘機「F-2」の日米共同開発が実質的に決定
2008年	MRJの事業化を決定
2009年	大幅な設計変更で最初の納入延期を決める
2015年	MRJの初飛行に成功するも、直後に4度目の納入延期
2020年	開発を凍結(2023年に正式に撤退を決定)

ミスターＭＲＪの再出発

８つの小さなプロペラが「ブーン」という音とともに回り始めて10秒余り。パイロットひとりを乗せた白と青の「空飛ぶクルマ」がゆっくりと地面から浮き上がった。

この日、スタートアップのスカイドライブが国内で初めて有人飛行を公開した。２０２０年８月末のことだ。

空中に浮く空飛ぶクルマが小さめのサッカーグラウンドのようなテストフィールドをゆらゆらと旋回し始めると、その姿を見守る社員たちから一斉に拍手が起きた。

少し頼りなげに見える機体の動きを、若者たちに交じってじっと見つめる初老の男がいた。最高技術責任者（ＣＴＯ）の岸信夫だ。

「航空エンジニアというのはいつまでたっても心配性なんですよ」

どんなに自信があっても最悪の事態を考えてしまう。それが飛行機作りに携わる者の性分なのだという。

この日から25年前に日米共同で開発した戦闘機「Ｆ－２」の初飛行を見守った時もそうだった。同僚が「まるで象の小便みたいだぞ」と言ったオイル漏れにどれほど肝を冷やし

スカイドライブに転じた岸信夫氏

たことか。

それから20年後、大々的に報道された三菱リージョナルジェット（ＭＲＪ、後にスペースジェットに改称）の初飛行の時もそうだった。

ＭＲＪのチーフエンジニアとなっていた岸は、パイロットには事前に「万が一の時には機体を持って帰ってこなくていいから」と、命を優先するように耳打ちしていた。自信はあったが、最悪の事態を想定するのが技術者の責務だと考えていた。計器類をにらめっこし続けたため結局、ＭＲＪが初めて空を飛ぶ雄姿を目にすることはなかった。

日本の産業界の悲願とも言われた国産旅

客機。この国のものづくりの復興の切り札として期待され、政府からも500億円の資金支援を受ける国家的なプロジェクトの重圧を一身に背負ったのが岸だった。戦闘機作りに情熱を傾け、社内でエースと呼ばれるようになっていた頃に突然、トラブルに追われていたMRJの開発リーダーに起用された。

三菱重工としてはエースの緊急登板で挽回する狙いだった。同じ飛行機と言っても畑違いの岸としては青天のへきれきだが、やるしかないと覚悟を決めた。

その日から6年――。数々の困難を経ながら少しずつ前進してきたつもりだったが、「官僚」たちで支配された本社側とのすれ違いは徐々に隠せなくなり、岸は突然解任された。

古巣の三菱重工がジェット機開発の凍結を決めたのは、このスカイドライブの有人飛行の日から2カ月後のことだった。長年飛行機作りに明け暮れてきた三菱重工の職場を志半ばで去り、スカイドライブに活躍の場を移していた岸は、古巣の挫折について多くを語らない。

今ではかつてとは全く違う形で、空への夢を追っている。三菱重工時代には「正直、バカにしていました」という、空飛ぶクルマに心血を注ぐようになるとは想像もしなかった。

それでも、かつて「名航《めいこう》」（現・名古屋航空宇宙システム製作所）でたたき込まれたエンジニアとしての心得は何も変わらない。

「物と対決せよ」

毎日のようにものづくりの現場で手足を動かす今になって、約40年前に名航の門をたたいた駆け出しの頃に授けられた教えを思い出す。

ネズミ色の壁に囲われたエリート集団

1982年4月、大阪府立大学で航空工学を学んだ岸は三菱重工に入社した。もともとパイロットに憧れていたのだが、高校2年になると目が悪いことを理由にあきらめたという。だが、飛行機に乗るのではなく作る方なら自分の努力次第で道は開けるはずだ。そう考えて大学では航空工学を専攻してきた。

多くの理系学生がそうするようにそのまま大学院への進学を考えていたが、4年生の時に参加した就職説明会で、三菱重工がたった一人だけ大阪府大から航空工学の学生を募集していると聞き、進路を変更した。配属されるのは空の名門として有名な「名航」だ。航空の世界では、その名を知らない者はいないだろう。

「あそこはネズミ色の壁で囲われた暗い場所。そんな所に東大や京大を出たエリートが集まってくる。あんなところに行ったら、おまえは苦労するぞ」

大学の助手にはそう言って脅された。市街地に比較的近い名古屋港の最奥部の港湾沿いにある名航は、確かに今でも灰色のブロック塀で覆われ、通りから内部が見えないようになっている。そして岸が入った名航は実際のところ、まぎれもないエリート集団だった。

岸が配属された第2技術部は、エンジンの艤装《ぎそう》という機体への取り付けを担当する。機体全体を見る航空機基礎設計課や空力を希望したが、そちらは旧帝大卒の同期たちが回された。ただ、これが岸には幸いしたという。

艤装の仕事は現場と机を行き来する。

油が漏れた、振動が止まらない、どうも異音が聞こえる――。トラブルが起きる度に技術本部の部屋から出て現場に直行して工具を手に取る。

入社から1年は教育担当の先輩から仕事のイロハをたたき込まれるのが名航の伝統だった。

「物と対決せよ」

岸の教育担当となった小山敏行は、配属初日にこう諭した。数式だけでは飛行機は飛ばない。現実の物から目を背けるなという教えだ。その教え通りに目の前の飛行機と向き合う日々が始まった。岸は「大学で勉強した数式がいつの間にか頭から消えていました」と振り返る。

ただ、学究肌で後に大学教授に転じる小山はむしろ理論派だった。口癖は「Ｔｈｉｎｋ、Ｔｈｉｎｋ……」。

ある日、岸に戦闘機Ｆ－15のエンジンのデータ分析を命じた。エンジンの動きを表すデータがどう理論と一致するのかを検証させるためだった。理論と現実を行き来しながら、岸に飛行機作りの基礎をたたき込んでいった。

「もう、圧倒的に尊敬していました」。

岸がこの先輩から学べることを学び取ってやろうと考えるようになるのに、それほど時間はかからなかった。

零戦の流儀

第2技術部は名航の発祥である名古屋港に面する大江工場（名古屋市港区大江町）の技術本館に入っていた。１００年余り前に建てられ、かつて零戦の生みの親である堀越二郎ら

名航・大江工場は今もグレーの壁で覆われている

が戦闘機作りに没頭した場所だ。その当時の象徴でもある時計台と呼ばれる建物は今では史料室となり一般にも公開されているが、後に岸が率いるＭＲＪの開発チームが陣取ることになった場所でもある。

その技術本館から少し離れた事務本館の一室に初めて足を踏み入れた時のことを、岸は今も鮮明に覚えているという。扉を開けると裸電球の下に古びた棚が並ぶ。まるで戦時中にタイムスリップしたかのような錯覚さえする空間に無造作に積まれたホコリだらけの資料の山。手に取ると戦前からの機体の設計図や技術解説書がそのまま残されていた。

幼い頃から飛行機少年だった岸にとっては宝の山だ。時間を見つけてはここに通い、先達が残した知恵と向き合うことになった。

かつて戦闘機で名をはせた名航――。その流儀が残るのは古びた資料室だけではなかった。

「これは東條さんからよく言われたことなんだけど、漢字を間違えるような技術者は絶対に成功しないからな」

ある上司は岸にこんなことを話した。東條さんとは東條輝雄のことだ。陸軍軍人で太平洋戦争中の首相、東條英機の次男であり、三菱重工で堀越の部下として零戦の設計に携わった。航空機の世界では民間航空機「YS－11」の開発リーダーとして知られている。

その東條が口を酸っぱくして言っていたのが、書類を書き間違えるなという極めて初歩的な仕事の作法だったという。誰にでもできること、調べれば分かるはずの基本をおろそかにするようでは緻密な作業が求められる航空機エンジニアとして失格だと教えられたのだ。

名航に限らず三菱重工には書類文化が根付いている。入社すると配布されていた小冊子「文書必携」には、社内文書の書き方の「型」が示されている。名航はさらに厳しく、岸は「技術文書に誤字があると、それ以上は読んでもらえないのが常識でした」と言う。

「1グラムをおろそかにするな」が口癖だったという堀越は「根ほりこし、葉ほりこし」

と部下から陰口をたたかれるほど、厳密に仕事を進める人だった。その仕事の流儀が、終戦から40年近くたった岸の新人時代にも脈々と受け継がれていたのだ。

仕事には厳しいエリート集団だが、大学時代に助手が口にした「ネズミ色の暗い場所」という表現は少し違うのではないかと、岸には思えたという。

名航の新入社員のほぼ全員が入る第2菱風寮。当時は同期2人が相部屋になった。先輩たちも同じ屋根の下で暮らす。起きてから寝るまで、寮でも職場でも同じ面々がずっと顔を合わせるのだ。

仕事が終わって一息つくと寮の近くにあった居酒屋「とも」に集まり、座が開いてしばらくすると第2菱風寮の伝統だという「垂直飲み」で宴もたけなわとなる。同期が集まれば誰彼となく上司の悪口が始まり、部署の面々で卓を囲めば先輩たちによる仕事談議が延々と続く。誰かが結婚して退寮する時には名古屋市の盛り場である栄まで繰り出し、最後には胴上げして噴水に投げ入れる。

今や昔だが、昭和の名航ではこうして飛行機作りの伝統が受け継がれていた。

とはいえ、閉ざされた息苦しい空間というわけでもなかったようだ。岸の2年後にこの寮に入った佐治浩一が何度も先輩たちから言われたのが「新人は所長の次に偉いからな」

だった。新人の生意気な発言や失敗は大目に見るから、先輩たちになんでも聞けというのが、当時の名航に漂っていた空気感だったという。

そんな昔気質の名航は日本国内ではエリート集団と位置づけられてきたが、世界と対峙する度に何度も苦杯をなめてきた。岸が入社した直後に持ち上がった次世代戦闘機F－2の開発計画。名航は日本での単独開発を目指した。

名航の挫折

終戦直後にGHQ（連合国軍総司令部）による「航空禁止令」が発令されてからサンフランシスコ講和条約が発効するまでの7年間、日本の航空機開発は空白の時代を過ごした。わずか7年だが、この間に航空機はクルマのようなレシプロエンジンからジェットエンジンへと切り替わるなどイノベーションの時代を迎えていた。そこでの遅れは、日本にとって決定的だったと言える。巨大産業である航空機で欧米に埋めがたい差を付けられたのだ。

その後、民間機ではYS－11が生まれたが、政府が主導する寄り合い所帯の経営はすぐに行き詰まった。すっかり米国の下請け的な地位に甘んじた日本が捲土重来を期したのが、このＦ－２戦闘機の開発計画だった。担い手は名航だ。

米国の調査団が名航を訪れたのが１９８７年4月のことだ。単独での戦闘機開発を目指す名航は、培ってきた先端技術を余すことなく彼らにぶつけた。

後に三菱重工社長となる大宮英明がリーダーとなって開発したコンピューター飛行制御の「ＣＣＶ」、炭素繊維で作る主翼、トンボの目と称されたレーダー技術――。

名航の技術力を見せつけて単独開発をたぐり寄せる狙いだったが、岸は会議室から出てきた先輩たちが「ちょっと見せすぎたかもなぁ……」と漏らしていたことが記憶に残っているという。

ここから事態は急転した。米国側が名航による独自開発を警戒し、異議を唱え始めたのだ。事態は首脳会談に持ち越された。

最後は「ロン・ヤス」の仲と呼ばれた中曽根康弘とロナルド・レーガンの日米首脳間で決着した。日米共同開発という名目ながら、その実態は名航が下請けに回ることを意味した。最後は中曽根の「ごくろうさんでした」の一言で片が付いたという。

名航で屈辱の歴史とも語り継がれるＦ－２開発。その一員として奔走した岸が業界内で注目を浴びたのが、すっかりベテランの風格を身につけるようになっていた20年余り後のことだ。「心神（しんしん）」と呼ばれた戦闘機「Ｘ－２」の開発リーダーを経て、押しも押されもしない名航のエースとなっていた岸は2012年初め、半世紀ぶりとなる国産旅客機MRJ開発のチーフエンジニアに起用されたのだ。

同じ飛行機といっても戦闘機と旅客機では似て非なるものだ。まったくの畑違いと言っていいだろう。

名航といえども旅客機分野は実質的に米ボーイングの下請けで主翼など機体の一部を担ってきたに過ぎない。チーフエンジニアとして「ミスターMRJ」と呼ばれるようになった岸がそこで見たのは、後の破綻を予感させる光景だった。

設計陣の意識が部品のひとつひとつに終始し、機体全体まで見渡す意識が低いと感じざるを得ない。「機体に命を吹き込む経験が足りていない」。それが岸が感じた偽らざる本音だった。

「物と対決せよ」

名航の流儀をたたき込んでくれた先輩の教えが、再び岸の胸に突き刺さる。

冷ややかな視線

時は少し遡り、2008年、米ロサンゼルス。米航空機リース大手インターナショナル・リース・ファイナンスの本社に商談に訪れた滝川洋輔は、目の前に座る相手の言葉に息をのんだ。

「本当にやる気なのか。言っておくが、やめるなら今のうちだぞ」

相手は同社社長のジョン・プルーガー。滝川はMRJの事業化のために三菱重工が名航を中心に設立したばかりの「三菱航空機」の営業部長だった。

主翼に炭素繊維複合材を採用し、高い燃費性能を強みとするMRJを3年後の2011年に初飛行させ、13年には全日本空輸（ANA）をローンチカスタマーとして航空各社に納入を始める――。そんな計画を携えてロスにやって来た滝川に、厳しい現実が突きつけられた。

最初はジョークかと思ったが、相手の表情は真剣そのものだった。むしろ視線には冷ややかなものを感じざるを得ない。

「新参者がやすやすと旅客機を事業化できるものか」

そう言わんとしていることがありありと伝わってくる。

「あれは彼なりの真剣な忠告だったと思います」

日本では半世紀ぶりの民間旅客機誕生への期待感が日増しに高まっていた頃だ。出足では大型受注もとんとん拍子で決まり、三菱重工の社内では1000機超の受注を目指す大方針が動き始めていた。その責任者に指名された滝川が目の当たりにしたのが、海外勢の本音だった。滝川は「ＭＲＪを見る世界の感覚はそんなものだと痛感させられました」と振り返る。

実は滝川自身も営業部長に起用されるまでは「ウチは本気で（旅客機を）やるつもりなのかと思っていた」と言う。顧客が防衛省に限られる戦闘機とはゲームのルールがまるで違う民間機の厳しさを、原体験として記憶していたからだ。

滝川は航空機エンジン畑を長く歩んできたのだが、１９８２年に三菱重工に入社すると最初に配属されたのは名航の本拠である時計台がある大江工場ではなく、小牧南工場（愛知県豊山町）だった。

県営名古屋空港に隣接する小牧南工場は後にＭＲＪの量産ラインが整備されることになるが、当時はビジネスジェット「ＭＵ－３００」などが造られていた。戦時中は数々の戦闘機を生み出したことで知られる名航だが、終戦後には政府主導で他社との寄り合い所帯でつくった「ＹＳ－11」が頓挫すると、民間機ではビジネスジェットに進出した時期があった。

滝川はそんな「民間機の名航」を知る数少ない社員だった。ただし、それは栄光とはほど遠い記憶だ。

ＭＵ－３００は小牧南であらかた組み立てると一度分解して長さ40フィート（12メートル強）のコンテナ３本に収納して米テキサス州に送る。いわゆるノックダウン方式で輸出して現地で販売していた。

ＭＵ－３００は滝川が入社する直前の１９８１年11月に商用飛行に必要な型式証明（ＴＣ）を取得していた。新入社員の滝川は「さあ、これから」というタイミングでその担当になったのだが、現場で「マグロ」と呼ばれていたコンテナの数が増えることはなかった。

入社した時が月産８機体制。それが６機、４機と次第に減っていく。

背景にあったのが最大の市場である米国の航空業界の構造変化だった。１９７０年代に２度の石油危機を経験し、都市部と地方の空港を定期便で効率的に結ぶハブ・アンド・スポークと呼ばれる体制が確立され、ビジネス機は激しい競争にさらされた。三菱のＭＵ機はあっさりとその戦いに敗れたのだった。

「すべて見抜かれていた」

「スポーティーゲーム」とも表現される生き馬の目を抜く民間機ビジネスに、三菱がもう一度挑む。不安は拭えないが滝川は「やるしかない」と考えた。

ただ、MRJは出足からつまずいた。船出から1年余り後の2009年9月、MRJは最初の納入延期を公表した。主翼の素材を炭素繊維からアルミニウムに変え、それに伴い胴体の形も見直すという抜本的な設計変更を迫られた。

MRJに訪れた最初の試練である。それを、滝川はスペイン東部の街、バレンシアで聞かされた。地域航空会社エア・ノストラムとの商談の真っ最中だった。日本から届く情報の収集に追われて、その日はもはや契約どころではない。

ただ、滝川にとって変調の予感がなかったと言えば嘘になる。その少し前にスウェーデンの首都ストックホルムにあるスカンジナビア航空を訪れた時のことだ。素材への疑問が矢継ぎ早に飛んできた。

「ミツビシは本気でCFRP（炭素繊維複合材）で造る気なのか」

「本当にCFRPの飛行機をこの価格で売るつもりなのか」

「ちゃんとメンテナンスできる体制をつくれるのか」

炭素繊維の特長は高い強度による軽さにあるが、アルミと比べて価格は高く扱いづらい。量産には高度な技術と練度が必要になる。それらのデメリットを考えれば、ジェット機の中でも地域間フライトに使われるリージョナル機に分類され、サイズが小さいＭＲＪに、どれほどの効用があるのか。

世界の航空業界では同じ頃にボーイングが炭素繊維を期待の素材として全面採用した中型旅客機「７８７」の実力を検証する過程で、その実態がすでに丸裸にされていたのだ。

「結局、すべて見抜かれていました」

日本では期待が大きいＭＲＪの実力を冷静に推し量るシビアな目が、そこには存在していたのだ。「戦闘機の名航」のかつての栄光は、民間機の世界ではなんの力も持たないことを、滝川は思い知らされた。

岸氏は戦闘機の開発に取り組んできた（1993年）

いきなりの設計大変更で窮地に立たされたＭＲＪ――。挽回を託されたのが滝川の同期入社組でもある岸信夫だった。２０１２年初め、岸は「心神（しんしん）」と呼ばれた戦闘機「Ｘ－２」の開発リーダーから突然、ＭＲＪのチーフエンジニアに起用された。

上司から「ＭＲＪが今、大変なことになっているから」と告げられての緊急登板だった。

その日からしばらく前。岸がまだ戦闘機作りに没頭していた２０００年代半ばに三菱重工の社内で旅客機の開発構想が持ち上がっていた頃には、岸は他人事のように「できるわけがないだろ」と冷ややかに見ていたという。

繰り返しになるが同じ飛行機と言っても戦闘機と旅客機は似て非なるものだ。それでもやはり飛行機である。半世紀ぶりの巨大プロジェクトに、エンジニアの血が騒がないわけがない。

「失敗するという恐怖心はなかった。必ずやり遂げてみせるという気持ちの方が強かったですね」

ただし、同じ名航といってもボーイングの下請けとなりパーツの生産にとどまる民間機部門は勝手が違った。どうしても全体最適の発想が欠け、岸が先輩からたたき込まれた「物と対決せよ」の意識が薄いように見えた。

そして、戦闘機出身の岸には想定外のもっと高いハードルが、民間旅客機には存在した。

「正直、最初は飛ばせばなんとかなると思っていましたが、飛んだ先に型式証明（ＴＣ）の取得という難しさがあった」

ここにＭＲＪの落とし穴が潜んでいた。

コンキスタドーレス

名古屋港に面する名航の大江工場。その象徴とされる時計台と呼ばれる建物の2階に、岸が率いるＭＲＪの設計部隊は入っていた。

かつて名航の土台を築いた堀越二郎たちが零戦の開発にあたっていた場所だ。白い壁に床は所々がはがれた木のタイル。歩くとギシッと音がなる。

「このままじゃ、とてもじゃないけどＴＣにはたどり着かないよなぁ。どうするよ……」

世界から向けられる厳しい視線を知る滝川は、この歴史あるオフィスに陣取る岸のもとを訪れ、隣の椅子に腰掛けては、こう問いかけた。二人の前には思いのほか高い壁が存在していた。

大江工場に立つ時計台

コンキスタドーレス――。スペイン語で「征服者」を意味する。

大航海時代に海を渡り、南米を中心に広大な植民地を築き、スペインを「日の沈まぬ大国」へと押し上げた者たちを指す。第2次世界大戦を経て空の世界のルールを作っていった欧米の航空機業界の征服者たちは、度々こんな風に呼ばれる。

ルールブックはすべて彼らの言語で書かれ、解釈も彼らに委ねられる。つまり、空の世界は戦後、欧米に支配されてきたのだ。その言語にあわせて飛行機の正当性を証明することは、単に空を飛ぶ機械を作ることとはまったく違う作業だった。

旅客機参入を目指す名航はこの後、その壁の高さを思い知ることになった。

岸がＭＲＪのチーフエンジニアに指名されたのは２０１２年初めのことだ。２００８年に事業化が決まったＭＲＪは1年余りで主翼と胴体の設計を見直すという大幅な軌道修正を迫られていた。

いきなり迎えたピンチに登板した岸が最初に決めたのは、２度目の納入延期だった。原因はアルミニウム部門の検査不正だが、ＭＲＪに影響が及ぶのは避けられないと判断した。

「やらなければならないことをやったまで。どうリカバリーするのかを考えるのが技術者の仕事なので」

そう言う岸を評して「この人は火事の時に消火器を持てる人だと思った」と振り返るのが、監督官庁である経済産業省で担当課長補佐だった伊藤慎介（現・リモノ社長）だ。岸とはすぐに携帯電話の番号を交換し、いつでも連絡を取り合えるようにした。

最終的に1兆円規模の開発費が注ぎ込まれたＭＲＪには、５００億円もの血税も投入されただけに、政府にとっても悲願の一大プロジェクトとなった。民間旅客機の開発は半世紀ぶりとなる。手探りで走り始めたのは三菱重工と経産省だけではない。ＭＲＪ開発の伴走者として重責を担うことになったのが、国土交通省だった。

旅客機の商業運航のための最後の関門になるのが型式証明の取得だ。対象となる飛行機を設計し生産する国の監督官庁が発行し、それを他国当局が追認するプロセスを取るのが国際的な慣行で、ＭＲＪの場合は国交省がその責任を負う。

認証作業と聞くと、単に所定の手続きに従って機体の安全性を確認していく作業と思われがちだが、実態は全く異なる。形の上では国交省が認証していくことになっているが、そのルールを牛耳っているのは海外、特に米国の航空当局である米連邦航空局（ＦＡＡ）だった。

国交省の混成チーム

国交省が型式証明取得の専門チームを置いたのが県営名古屋空港だった。ＭＲＪの量産を担うことになる名航の小牧南工場も隣接するため、いつでも現場を行き来できる。ただ、その陣容は当初、わずか６人だった。

国交省にとっても「ＹＳ－11」以来、実に半世紀ぶりの認証作業となる。省内にも専門家は見当たらなかった。仮にいたとしたら、半世紀の間、仕事がないのだから当然だ。

岸が２度目の納入延期を決めた直後に国交省の認証チームの所長として名古屋空港にや

って来たのが川上光男だった。この時点で認証チームのメンバーは73人にまで増えていた。

その顔ぶれは、霞が関では見られない混成部隊だった。宇宙航空研究開発機構（JAXA）や防衛省からの出向組もいれば、民間のメーカーやエアライン（航空会社）などから、飛行機の仕事が分かる人材をかき集めていたのだ。

こうして経験ゼロから手探りで出発した航空機認証チーム。県営名古屋空港のオフィスに集まった混成部隊は、世界の空のルールを決めてきた米欧当局からも専門家を招き、知識を吸収していった。

その様子を見た川上は「まるで明治政府の役人みたいだな」と思ったという。維新後に西洋から近代国家の国造りを学んだ先達の姿を自分たちに重ね合わせたのだが、現実はそれほど美しいストーリーとはならなかった。たった1枚の証明書にたどり着くための認証作業は、そこに解があるようで存在しない逃げ水を追うような道のりだったのだ。

謎かけ

2度目の納入延期が伝わった県立名古屋空港。混成部隊のモチベーションが下がることを恐れた川上は、73人のメンバーにこう語りかけて鼓舞した。

「国産航空機を世の中に送り出すのが我々の使命だ。そのためには役人的に『書類が（三菱から）来ました、それを審査しました』じゃ、ダメなんだ」

実際の作業は、名航側の飛行機作りの進捗にあわせて約４００項目に及ぶ確認事項をつぶしていくことになる。問題はそのルールが実質的にすでに決められていたことだ。ルールメーカーは米欧の航空当局だった。これが雲をつかむような作業だということを、川上たちは徐々に思い知らされていく。

混成部隊の審査官が、米連邦航空局（ＦＡＡ）が発行する書類の矛盾点を指摘した時のことだ。

「他のガイドラインではこう書かれていますが……」

すると、こんな答えが返ってきた。

「どっちが正しいか間違っているかという問題じゃない。それぞれの課題の背景を理解した上で解答を出すんだ」

まるで謎かけのような問答は、一度や二度ではなかった。

「日本のエンジニアはもっとビッグ・ピクチャーを見ないとダメだ」

これはＦＡＡのあるマネジャーから川上が言われたことだ。なんでもかんでもハッキリと白黒を付けるのではなく、問題の本質を見よとの意味だと解釈したものの、では具体的にどのように認証作業に落とし込めばよいのかとなると、そこに答えは存在しない。

川上たちを何度も苦しめたのが、ＦＡＡの幹部たちがよく口にした「それはエンジニアリング・ジャッジメントだ」という言葉だった。技術に基づいて自分たちの解釈で判断して物事を進めろということなのだろうと受け取ったが、経験ゼロからスタートした混成部隊の審査チームにその判断を求めるのは酷というものだった。

厳格なようであいまい――。

この謎かけの妙に苦しんだのは三菱重工と国交省だけではなかった。東大航空学科で川上の一年先輩だったホンダジェットの開発者、藤野道格もまた、同じ時期にＦＡＡによる型式証明の取得に苦しんでいた。

「ルールを決めるのも、相手チームも審判もみんな米国人。たとえ我々がストライクを投げてもボールと言われてしまう」

これぞルールメーカーの特権である。そのルールの下で戦う者には不条理となって跳ね返ってくる。「日本人として負けられない戦いだ」と受け取った藤野は、ＦＡＡから２０１５年末に念願のＴＣを取得した。藤野はＦＡＡ長官から証明書を受け取った時、感極まって涙したほどだ。

ただ、MRJの認証作業には内なる問題が潜んでいたことも事実だ。「役所以上にお役所的」。川上は名航の徹底した文書主義にいらだつことが度々だったという。

名航のエンジニアがよく口にする「SOPが……」。スタンダード・オペレーション・プロシージャー（標準作業手順書）の略で、広く製造業で使われる言葉だが、この手順書と異なる作業は受け付けないというのが名航流の仕事の進め方だった。一時的に進めるにはAVO（アボイド・バーバル・オーダー）の書類が必要になるが、結局は「SOPを改訂するまで待ってください」となる。

川上が世界との差を痛感させられたのが、こんなやりとりをするさなかの2013年に起きたボーイング「787」の発火事件だった。民間航空機部門のトップがやってくると、瞬く間に分厚い対応策がまとめられ、国交省にも提出された。

実は、この時のボーイングによる対応策は発火の根本原因が分からないままでの応急処置ともいえる改修だった。強引な手法には疑問が残るが、ボーイングはすぐに取れる対応策でFAAを納得させ、787の運航再開にこぎ着けた。

その間、わずか3カ月。

水面下ではルールメーカーであるFAAと、民間企業のボーイングを行き来する「リボルビングドア（回転扉）」と呼ばれる官民の両方を知る専門家たちが、総力を結集させたといわれている。

厳格なようであいまい――。

そんな飛行機作りのルールを作った特権も生かした迅速な動きに、彼我の差を感じずにはいられない。

屈辱の降板命令

「答えはひとつじゃないということか……」

米欧が支配する空のルールに挑む岸もまた、不条理な戦いに面食らっていた。

２０１５年11月には初飛行を成功させた。いよいよこれからＴＣ取得への最終段階である飛行試験に移るという矢先の同年12月に、４度目となる納入延期を迫られると、社内外から厳しい視線が「戦闘機から来たエース」に向けられるようになった。

翌２０１６年に入ると東京にある三菱重工の本体が重い腰を上げた。機械畑出身の社長である宮永俊一が名航に見切りを付けるかのように続々と外国人エンジニアを雇い入れ、11月にはＭＲＪの開発を三菱重工本体の社長直轄事業にしてしまった。

そして2018年初め。岸はMRJのチーフエンジニアを降板するよう三菱航空機社長の水谷久和から告げられた。

「会社の判断として外国人主体の開発に変える」

それが降板の理由だ。岸の後任に指名されたのが、カナダ・ボンバルディアで認証取得を専門としていたアレックス・ベラミーだった。

歯車が狂い始めた名航とMRJは、ここから空中分解へと向かい始める。

「私のことが必要ないのであれば、私がここに残る意味はありません。副社長（の職）もあわせて退任だと言ってください」

水谷からチーフエンジニア降板を告げられた時、岸は思わずこんなことを口にした。岸はMRJの運営会社である「三菱航空機」の取締役副社長も兼任していた。こちらは任期の途中であり、緊急退任は現実的ではないことは承知している。それでも岸は水谷に繰り返した。

「チーフエンジニアを降りるのなら、副社長も辞めさせてください」

自分は経営者ではなく航空エンジニアだ。その肩書を剝奪されるということは「もうMRJに必要のない人間」と解釈せざるを得ないと考えた。屈辱である。この時、なにを思ったのか。岸に聞くとこう返ってきた。

「ご想像の通りです。もう、悔しくてね……」

この日から約1年後、岸は子会社への異動を告げられた。名航に配属された初日に、尊敬する先輩から「物と対決せよ」と飛行機作りの心得を教えられた日から37年。「ここでの私の役割は終わった」と痛感させられた。岸は静かに名航を去った。

名航とMITAC

岸の後任としてチーフエンジニアに指名されたベラミーは、MRJにとって最大の関門であるTC取得のエキスパートと見込まれての起用だった。

ここから東京の三菱重工本社の主導で、次々と海外からエンジニアたちを呼び集め、名古屋にある三菱航空機へと送り込んでいった。それはMRJ開発の実権を、名航から奪うことを意味した。実際、岸も降板を告げられた時に水谷から「会社として外国人主体の組織に変えるから」と説明されていた。

三菱航空機と、その英語略称であるMITAC（ミータック）――。MRJの開発部隊はこの後、急速にふたつの顔を持つようになっていった。名航と、新たに東京の本社主導で名古屋に送り込まれてきた海外のエンジニアたち。見えざる溝の存在は、外からもありありと見えるようになったという。

名航で岸の2年後輩にあたる佐治浩一はカナダの関連会社を経て、住友精密工業に転じていた。MRJの「脚」にあたるランディングギアを供給するサプライヤーであり、古巣の名航が顧客となったわけだ。佐治は、岸がチーフエンジニアから外れると三菱航空機では「あっという間に日本人がほとんど関与しなくなった」と証言する。

佐治には名航の変容を予感させることがあった。カナダ時代に知り合ったボンバルディアのエンジニアの何人かがヘッドハンティングされて三菱航空機に移っていった。驚かされたのが、その条件だった。

ポジションにもよるが、年収はおおむね2000万円台から3000万円台。もちろん豪華な住居や手厚い福利厚生も保証されている。優秀な海外の人材を雇い入れる上では確かに必要な待遇だろう。だが、年功序列意識が染みついた古巣の仲間たちの心中は容易に察することができた。

かつてはエアコンもない第2菱風寮と職場を一緒に行き来し、「新入社員は所長の次に偉いから、先輩にはなんでも聞けよ」と言われて育った名航の面々。

だが、1990年代に入りバブルが崩壊すると、名門の空気感が変わり始めた。「三菱の天皇」、あるいは「ミスターコストダウン」と呼ばれた当時の三菱重工トップ、相川賢太郎が徹底したリストラを断行していく中で、名航を覆うおおらかな雰囲気が徐々に薄れていくのを感じていたという。

変わりゆくかつての名門に、破格の待遇で乗り込んできた「進駐軍」。ランディングギアに関しては、名航時代の同僚が取りまとめ役となっていたが、佐治の目にはその同僚に権限が与えられていないことがすぐに分かったという。

「商談の会議に出ても指図するのは外国人たち。急な設計変更があってもこちら（住友精密）の説明には聞く耳を持たず『言われた通りにやれ』と言うだけでした」

名航が長年かけて築き上げてきたサプライヤーとの信頼関係も、「ＭＩＴＡＣ」には通用しなかったという。

見えかけた認証取得

ただ、ベラミーたちが名航にもたらしたのは不協和音だけとも言えなかった。毎週のように細かく設計が見直されていき、ＭＲＪが着実にＴＣ取得へと向かい始めたこともまた、事実だ。

三菱航空機の営業部長として、世界の航空会社にＭＲＪを売り歩いた滝川洋輔は「２０１８年内にはＴＣ取得に向けて初めて〝詰む〟というプロセスが見えた気がしました」と証言する。

この当時、ＩＴ関連の責任者として三菱航空機に加わったある外国籍の幹部は「チーフがアレックスになってからマネジメントの仕方がガラッと変わりました。それまでのようなくだらない手続きが不要になって、目に見えて仕事が進展するようになった」と振り返る。ベラミーが名航に根付いた文書文化など、現代にはなじまない気風を刷新していったことも、事実のようだ。

米シアトル郊外の砂漠にあるモーゼスレイクに試作機を持ち込み、飛行試験を繰り返し、そこで得られたデータを名古屋のＭＩＴＡＣがＭＲＪの設計に反映していく。

ＭＲＪは型式証明の取得という最後のハードルを越えるための「王手」に向かう指し手を見つけた……、はずだった。

100年目の終了宣言

試合終了のホイッスルが鳴らされたのは2020年10月末のことだった。皮肉にも三菱内燃機製造の一工場として産声を上げた名航の誕生からちょうど100年の記念すべき年に当たる。1兆円規模に膨れ上がった開発費を回収するめどが立たないと判断した三菱重工本社が、半世紀ぶりの国産旅客機開発の悲願をついにギブアップしたのだった。

営業部長の滝川は一時帰休を告げられ、40年近く勤めた名航を後にした。

「まだ燃料がある状態でいきなり立ち止まることになりました。正直、不完全燃焼ですよ……」

この際、三菱重工は「立ち止まり」という煮え切らない表現で、MRJ開発の実質凍結を公表したのだが、もはや勝負ありだ。国土交通省の役人ながらMRJの伴走者として型式証明の認証チームを率い、国産旅客機誕生の夢を一緒に追いかけた川上光男が「その時」を告げられたのは霞が関の一室だった。

国交省の航空局長室に呼ばれると、三菱重工社長の泉沢清次が政府への説明に追われた。ビジネスとして採算性を確保できる見通しが立たないとの趣旨だった。その説明を、川上は黙って聞いていた。

言いようのない思いが、ふつふつとこみ上げてくる。

「そりゃもう、やりきれない気持ちですよ。（その場で）怒れるなら怒りたいですよ」

世界の空のルールを支配する米欧当局に追いつけ追い越せと73人の混成部隊を率いた川上。150年前に西洋列強に学び、この国の形をつくっていった先達に自分たちを重ね合わせたこともあった。解なき解を探すようにここまで歩んできた蓄積が、すべて失われてしまう。それが何よりも悔しいという。

この時点ですでに旅客機開発計画は終わりを迎えていたが、三菱重工が「立ち止まり」から正式に開発中止を宣言したのは、それから1年余りが過ぎてからのことだ。もっとも、その実態は「立ち止まり」の時点となんら変わっていない。正式に認めるまで1年余りもの時間を要するところが、いかにも腰の重い三菱重工らしいといえば皮肉が過ぎるだろうか。

悲願の国産旅客機開発計画は、こうして静かに幕が下ろされた。

よみがえった空の夢

川上のもとを旧知の男が訪れたのは、「立ち止まり宣言」の少し前のことだった。志半ばでMRJのチーフエンジニアを降ろされ、名航を去った岸だった。

聞けば、空飛ぶクルマの実用化を目指すスカイドライブというスタートアップのCTO（最高技術責任者）に転じたという。

「このままではせっかく培ったノウハウが失われてしまう」と考えていた川上に、岸は「これまでの経験を空飛ぶクルマで役立たせますよ」と話した。

MRJとは比較にならない小さな乗り物で、日本の空に革命を起こそうというのだ。

名航を離れ、若者たちが集うスタートアップで再出発を誓った岸はこう語る。

「名航にいる時に感じた技術者の特権というのは、特別な許可もなく機体に近づいて触れられることでした。今がまさにそうなんです。なんというか、久しぶりの感覚なんですよね」

空の名門である名航の門をたたいた日から40年。希望とは異なるエンジン艤装《ぎそう》の職場に配属され、オフィスと工場現場を行き来した。そこから「戦闘機のエース」と呼ばれるようになりＭＲＪのチーフエンジニアに駆け上がるうちに、いつの間にか鼻腔にこびりついていたはずの油のにおいを忘れていたような気がする。

「気づけば私は大学病院の研究室にこもっていた（ような状況だった）と思うんです。でもここでまた、目の前の患者を救うひとりの医者に戻れた。目の前にある機体のトラブルをなおせる技術者に戻れたんです」

悲願だった国産旅客機誕生の夢はついに果たせなかった。その責任を負うのは東京本社の「官僚」たちだけではない。巨額の国費が投じられ、数多くのサプライヤーや顧客を巻き込んだ一大プロジェクトである。開発現場を預かった岸も失敗の責任を免れない。だが、だからといってそこで立ち止まるわけではない。

物と対決せよ——。

40年前に「ネズミ色の暗い場所」と言われた名航に配属されたその日に尊敬する先輩から受け継いだ教えは、今も岸を突き動かす。新しい場所で、ＭＲＪとは違う空の未来を創るために。

北陸の中小企業の挑戦

頓挫した悲願の国産旅客機開発計画。その余波は、航空機参入を目指した地方の中小企業にも及んだ。かつての三菱財閥にも属する巨大資本の三菱重工と違い、そのダメージは比較にならない。だが、そこで終わりではない。この国には、ものづくりの世界でしたたかに生きる中小企業が数多く存在している。

「やっぱりダメだったか……」

その日、建設機械を手掛ける北菱（石川県小松市）社長の谷口直樹は肩を落とした。航空機分野への参入を模索する中で見つけた名古屋商工会議所による「航空機エンジン部品加工トライアル」。三菱重工業から与えられる部品加工のテーマで優秀な成績をおさめれば、名もなき地方の中小企業でも航空機エンジン部品に参入する道が開かれる可能性があるという、一種の競技会だ。谷口は２０１６年に参加したがあえなく落選した。

航空機はものづくりの世界でもとりわけ参入障壁が高いとされる。祖父の代から建機を手掛けてきた北菱を率いることになった谷口には、期するものがあった。

北菱の谷口直樹社長(左)と上田晋作氏(2018年、シンガポール航空ショーで)

「僕が引退する頃にも日本で生き残るためには、ウチじゃなきゃできない仕事をやるしかないと考えていました」

足元の建機の仕事は順調だった。だが、それもいつまでも続く保証はない。まだ高校生だったバブル崩壊時に建機の売上高の6割を占める取引先が倒産して家業が傾きかけた記憶も、現在の危機感につながっている。

手当たり次第に航空機分野参入につながる情報を探していた頃に見つけたのが、このトライアルだった。

落選により、谷口の野望はあっさりついえたかに見えた。だが、審査員としてトライアルに参加していた上田晋作の目には、

「この社長はちょっと違うんじゃないか」と映った。

一度受注が決まれば長期間の仕事が保証される航空機に参入したいと考える中小企業の経営者は、これまでに山ほど見てきた。だが、その多くは覚悟が足りない。谷口にはその覚悟があるように見えたという。

「本気でやってみませんか」

上田は谷口にこう持ちかけた。そのための条件は生半可なものではない。

上田は、最低でも2年間は「修業」が必要だという。新たな設備も不可欠になる。ただし、修業だから収入はゼロ。もちろん2年後に仕事がある保証などない。

北陸では名の知られた建機サプライヤーとはいえ、従業員が120人余りの北菱にとっては厳しい注文だ。修業期間は本業の建機でなんとか持ちこたえるしかない。

それでも谷口の答えは「やり遂げます」だった。

「名誘」の教え

上田は名古屋市にあるエヌブリッジという会社の社長で、航空機エンジン参入のコンサルタント業を始めたばかりだという。聞けば三菱重工のOB。2000年に入社し、配属されたのが小牧北工場（愛知県小牧市）。空の名門である「名航」から1989年に名古屋誘導推進システム製作所として分離した工場だった。通称、「名誘」。航空機エンジンなどを手掛け、名航の弟分と称されることが多い。

上田は新人時代に、後に三菱航空機の営業部長としてMRJを世界に売り歩いた滝川洋輔の薫陶を受けてエンジン一筋で歩んできた。やがて名誘から飛び出し、その経験を中小企業に伝授して航空機産業の活性化を担おうと考えたのだ。

1976年生まれで同い年の「先生」に、谷口はこう告げた。

「航空機エンジンの中でも一番難しいところをやらせてください」

そうでなければ挑戦する意味がないという。

ふたりが選んだのが、航空機エンジンの中でも特に高温になる燃焼器を覆うケースだった。材料は極めて加工が難しいニッケル合金だ。250キログラムほどの合金を丹念に削り出していき、最終的には80キロほどの複雑な形状の部品に仕上げていく。

この難解な作業に挑むため、谷口は5軸加工機という最新の設備を導入した。特殊な鋼材で削っていくが、燃焼器ケースに特化した刃物は存在しない。温度や治具の設定など、少しでも条件を間違えれば「キーッ」という大音量の独特な高音とともに工具が壊れてしまう。谷口は何度も工具メーカーから試作品を取り寄せて実験を繰り返した。

ただ、上田によると航空機エンジンの難しさは加工そのものではない。「航空機エンジンの世界では自分たちが作ったものを、なぜそれができたのかを説明しきれる体制を作れるかどうかが問われます。技術力ではなく組織力の勝負です」

絶対の再現性が保証されなければ参入はおぼつかない。それが上田が伝えた名誘の教えだった。

北菱の本社がある小松市まで毎月2回、名古屋から通い詰めた上田。「失敗から何を学ぶか」。そう繰り返す同い年のコンサルタントの言葉に、谷口は素直に耳を傾けた。目指すは英ロールス・ロイスが造る大型ジェット機用の燃焼器ケースだ。

それから2年――。

谷口のもとに吉報が届いた。三菱重工経由で受注したのは、目指した燃焼器ケースとは違った。それでも米ボーイングの戦略機「787」のエンジンに使われる部品だった。

それから半年後のことだった。今度は本命の燃焼器ケースの受注を射止めたとの報告が舞い込んだ。上田は「こんなに短期間で航空機エンジン部品に参入できた例は、少なくとも国内では聞いたことがない」という。地方の中小企業の執念を、そこに見た。

中小企業は死なず

日本のものづくりにとって悲願だった名航による国産旅客機の開発計画は、あえなく頓挫した。95万点もの部品を要するＭＲＪは、航空機分野への参入を狙う地方の中小企業にとって希望の星だっただけに、開発凍結の影響は計り知れない。名航の弟分である名誘の遺伝子を受けて高いハードルを越えた北菱のような成功例はむしろまれだろう。

「やっぱり三菱はずるいと思いますよ」

こう語るのが住友精密工業ＯＢで、航空機部品参入を目指す異色の中小企業連合、ジャパンエアロネットワーク（ＪＡＮ）を築き上げた五十嵐健だ。

五十嵐が大阪のネジ問屋、由良産商と組んで立ち上げたＪＡＮには約30社が名を連ねる。自動車エンジン部品のメーカーもあれば、もとは木工工場という会社もある。古巣の住友精密が元請け的な立場となり、三菱重工からＭＲＪの「脚」にあたるランディングギアを受注する。腕に覚えのある中小企業がランディングギアを構成する細かいパーツを受け持つという計画だったが、ＭＲＪの突然の開発凍結に直面した。

その中には三菱重工からの要請で大型の設備を整えた会社も多い。五十嵐が「いまさら

『知らぬ、存ぜぬ』はないだろう」と憤るのは、その費用負担が中小企業を苦しめる様子を間近で見てきたからだ。

住友精密のような大手の一次サプライヤーとは違い、どうしても下請け的な立場とならざるを得ない中小企業の多くは厳密な契約を結ばないままに設備投資を負担する。計画が白紙となった時にはなんの補償もない。しわ寄せが弱い立場の会社に及ぶ、ものづくりの世界のひとつの真実といえる。

JANは五十嵐にとってキャリアの集大成のような存在だった。1972年に住友精密に入社すると、エアコンに使う熱交換器の調達を25年間担当してきた。

ただ、五十嵐の関心の的だったのが同社が手掛ける航空機の仕事だった。調達ではなく、ものづくりの現場に強くひかれたのだ。

航空機部品の生産現場への異動の希望がかなわないなら独学で学んでしまえと、兵庫県尼崎市にある本社工場に強引に席を置き、現場を仕切る手だれの熟練工たちに勝手に師事してしまった。そこで本業のはずの熱交換器の調達とは関係のない生産管理や鋳物の作り方を学んでいった。

1990年代に住友精密がカナダの航空機メーカーと取引を始めると、いよいよ希望した航空機畑の仕事に着手した。気づけば独学は20年を超えていた。

そんな五十嵐が住友精密を飛び出して作り上げた中小企業連合。自らの足で歩いて回り、自らの目で確かめた1000社超の中から、30社ほどを選び抜いた。

三菱重工より先に米当局から型式証明（TC）を受けて商業運航を始めたホンダジェットでは受注に成功したが、本命と目したMRJは飛ばないまま。だが、引き下がるわけにはいかない。

五十嵐は自ら築いたJANに一度区切りを付け、その中から有志連合といえる6社を中心とする新組織「JANアライアンス」を2021年10月に立ち上げた。

「もう日本には頼らない」

そう言う五十嵐は旧知の欧州サプライヤーと部品供給に向けて交渉に入った。

中小企業は死なず――。

半世紀ぶりとなる国産ジェット機の夢がついえた今も、航空機という高い壁に挑もうとする中小企業がなくなることはない。この国のものづくりを支えるのは大企業ではなく、そんな名もなき担い手たちだ。

第 3 章

日本製鉄・君津製鉄所

——宿敵・中国を育てた伝道師たち、
「鉄は国家」のDNA

登場人物

橋本英二 ……… 2019年から日本製鉄社長。「武闘派」で知られる。

三輪隆 ……… 高炉一筋に歩んできた技術者。
水素製鉄プロジェクトの初代リーダー。

水野文雄 ……… 君津製鉄所の技術者。八幡製鉄出身。
上海宝山の技術指導員。

稲山嘉寛 ……… 八幡製鉄社長として富士製鉄との合併を決める。
新日本製鉄初代社長。経団連会長も歴任。
「我慢の哲学」が座右の銘。

関澤秀哲 ……… 1969年に八幡製鉄最後の新入生として入社。
早くから日中協力プロジェクトに携わり、
稲山の秘書も歴任。後に新日鉄副社長。

中田昌宏 ……… 1992年に新日鉄に入社し君津製鉄所に配属。
デジタル改革を担当。2023年から九州製鉄所長。

君津の歩みは日本の鉄鋼業の浮沈を映す

1965年	君津製鉄所が発足
1970年	八幡製鉄と富士製鉄が合併して新日本製鉄に
1978年	君津がモデルの「上海宝山製鉄所プロジェクト」が始動
1987年	「鉄冷え」の中で新日鉄が5基の高炉休止など合理化を公表
2006年	ミタル・スチールがアルセロールを買収
2012年	新日鉄と住友金属工業が合併、後に日本製鉄に
2016年	君津が高炉2基体制に、水素製鉄の試験高炉が稼働
2021年	電磁鋼板の特許を侵害されたとしてトヨタ自動車と中国・宝山鋼鉄を提訴

高度成長期のさなかに日本製鉄の前身のひとつ、八幡製鉄の最新鋭製鉄所として産声を上げた君津製鉄所（現・東日本製鉄所君津地区）。日鉄が一時、粗鋼生産量で世界首位にまでのぼり詰める原動力となった日本を代表する巨大製鉄所だ。

その高炉に灯がともったのが1968年のことだ。この年、八幡製鉄は富士製鉄との合併を決め、新日本製鉄の誕生へと向かいだした。かつて「鉄は国家なり」と言われ自ら「基幹産業」を名乗ってきたこの国の鉄鋼産業が、いよいよ米国やドイツに負けない工業国として名乗りを上げたことを象徴するのが、東京湾に建設されたこの巨大製鉄所だった。

それから半世紀以上が過ぎた。この間、日本の鉄鋼産業は数々の試練にさらされてきた。

「鉄冷え」

「構造不況業種」

そんな冷ややかな言葉で形容されることもあった。国際再編を経て瞬く間に巨大化するライバルの出現におののきもした。自らタネをまいた中国や韓国のライバルに手痛いしっぺ返しを食らうこともあった。

そして今、脱炭素という新たな試練に直面している。広大な敷地を誇る君津製鉄所の一角では、この国のものづくりを根底から支え続けてきた鉄鋼業の未来を占う挑戦が始まっていた。

水素製鉄の原点

東京ドーム220個分もの敷地を持つ君津製鉄所。その東門から車を走らせること15分。赤茶けたサビに覆われた工場群の端に立っているのが、「水素製鉄」の試験高炉だ。隣に立つ赤銅色がむき出しの巨大高炉とは異なり、高さ35メートルほどの水色の覆いですっぽりと囲まれている。高炉と原料の山に囲まれるために周囲からは見えない位置に立つが、それでも念入りに中が見えないように覆い隠されているのは、絶対の機密性を保つためだ。

「君津はエネルギーの世界ではずっと先を行っていたと思います」

こう話すのが水素製鉄の仕掛け人のひとりで日本鉄鋼連盟特別顧問の小野透だ。1981年に新日鉄に入社して配属された君津製鉄所は、まぎれもなく「ピカピカ」の新鋭製鉄所に見えた。単に高品位な鋼をつくるだけでなく、1970年代の2度の石油危機を経験したことで省エネ技術の実用化でも世界をリードしていたと振り返る。

君津に立つ水素製鉄の試験炉

当時の君津製鉄所では炉頂圧発電機など次々と新技術を搭載していった。現場に出る小野も3交代制で高炉に寝泊まりし、伝統のピリ辛ソーメンで空腹を満たした。品質でも省エネでも世界のライバルに圧倒的な差を付けたことは、小野にとっての誇りだった。

だが、バブル崩壊を前に日本の鉄鋼業は長い「鉄冷え」の時代を迎える。新日鉄は10年以上をかけて社員を4分の1にまで減らす大リストラに着手した。製鉄所の職場では毎月のように送別会が開かれるようになっていた。1990年代初めに入社し君津製鉄所に配属されたある社員は「最初の2年間で上司が7人も入れ替わった」という。

２０００年代に入ると、かつて君津製鉄所から技術を学んだ中国や韓国が力を付け、気づけば日本の製鉄業全体の地盤沈下が隠しきれない状況に陥っていた。復権をかけて半世紀がかりで開発を進めるのが、この水素製鉄だ。

石炭を蒸し焼きにした「コークス」を使って鉄鉱石を還元（酸素を取り除く）して鉄を作る高炉法は19世紀に日本に到来し、日本の工業化を支え続けた。１００年以上続いた製鉄の常識を覆そうというのが、石炭の代わりに水素を使う方法だ。

実現すれば二酸化炭素（CO_2）を５割削減でき、その先に目指すカーボンニュートラルには不可欠な技術とされる。

高炉は日本のCO_2排出量全体の実に１割を占める。水素製鉄では21年時点では、年に２度の操業で１日30トン強をつくる程度にとどまるなど技術開発の途上だが、いずれ量産が実現すれば環境負荷の小さい鋼材が求められる脱炭素時代にも絶大な武器になると目される。

高炉にほれた男

「環境のトップランナー」だった君津製鉄所で始まった鉄鋼業再興への取り組み。2008年に水素製鉄計画の初代プロジェクトリーダーとなった三輪隆には、秘めた思いがあった。冶金を学んだ大学院時代に初めて見た高炉が、東京大学の旧西千葉キャンパス（千葉市）に建てられた研究用の小さな炉だった。1977年のことだ。

バールとハンマーで炉底部の耐火れんがを砕くと、ボコボコと音を立てながら黄金色の鉄が流れ出てくる。銀色の耐火服を着込んでいても、生まれたての鉄が発する熱がヒリヒリと伝わってくる。

そこに集まる各社から派遣されてきた鉄鋼マンたちの言葉からは、鉄づくりへのプライドがにじみ出ていた。

「高炉に心底ほれた人たちだな、と」

そう言う三輪自身も、すでに高炉にほれ込んでいた。

1979年に新日鉄に入社すると高炉一筋に歩んできた。三輪が配属されたのは名古屋製鉄所（愛知県東海市）だった。社内でも俊英が集められた君津は、三輪にとって仰ぎ見る存在だった。

当時の君津製鉄所のトップ技術者が書いた3分冊の「高炉製銑法」は、通称「君津の赤本」と呼ばれる高炉エンジニアのバイブルだった。駆け出し時代の三輪も上司とともにむさぼり読んで学んだという。


高炉の火入れに先立ち1965年に鋼板をつくる「冷延」の設備が稼働した君津製鉄所は、八幡製鉄が最後につくった巨大製鉄所だ。

その八幡製鉄の発祥地である官営八幡製鉄所は筑豊炭田の近くに臨む北九州の洞海湾に建設された。1901年（明治34年）に稼働し、これがわが国の近代化の象徴と言われてきた。前述した通り、八幡製鉄は君津製鉄所を稼働させた後の1970年に富士製鉄と合併して新日本製鉄となる。

もうひとつの雄だった富士製鉄の発祥である釜石製鉄所は、江戸時代末期の安政年間に南部藩士の大島高任の指揮によって日本で初めて洋式高炉での鉄づくりに成功した。官営八幡製鉄所と比べれば規模は小さいが、産業史にその名を残す釜石製鉄所（現・北日本製鉄所釜石地区）は今も「線材」の生産拠点として生き残っている。

この国を代表するふたつの製鉄所に共通するのが、原料立地だったことだ。釜石は鉄鉱石鉱山のすぐ近くに建てられ、鉄鉱石と並ぶ原料である石炭が豊富に産出する地で選ばれたのが八幡だった。

それまでの日本の製鉄所が原料立地型だったのに対して、君津は日本で初めての本格的な市場立地型の巨大製鉄所として誕生した。

建設当初は八幡から数多くのベテラン技術者が送り込まれたことは後述する。新鋭拠点が技術力で先頭を走るようになるのに、それほど時間はかからなかった。

大リストラ

名古屋製鉄所に配属され「高炉屋」としてのキャリアを走り始めた三輪の目線の先には、常に君津の背中があった。

入社6年目でフランスに留学すると、欧州中の製鉄所を見て回ってやろうと各地に足を伸ばした。日本に毎月送ったという手描きのイラスト入りのリポートからは、君津とはひと味違う欧州の製鉄技術を目で見て盗もうという意気込みが伝わってくる。

だが、1986年に帰国して八幡製鉄所に配属になると、目に映る景色はずいぶんと変わっていた。翌年に新日鉄が公表した「第四次合理化計画」は、この国の製鉄業が曲がり角に直面していることを象徴した大リストラ策だった。

時代がバブル経済の坂道を駆け上がっていたこの頃。鉄鋼業はその崩壊を待つことなく、いち早くその身をかがめることを余儀なくされていた。1985年に結んだプラザ合意で円高が進み、業績の悪化に歯止めがかからなくなったことが引き金だった。

日本の近代化の象徴である八幡製鉄所も例外ではない。高炉は2基から1基に減らされることになった。この時、余剰人員の受け皿となったのが基幹製鉄所として3基の高炉が稼働する君津製鉄所だった。

人減らしの現場となった八幡製鉄所ではさらに厳しい状況が続いていた。

「1基になったということは、次はゼロだ。そうならないように何ができるか考えろ」

当時の八幡製鉄所長の訓示が、ただの脅しではないことが身にしみた。残った高炉の責任者となった三輪には、さらなる追い打ちが待っていた。原因不明のトラブルに直面したのだ。

高炉の「成績」は、炉の容積に対する1日あたりの銑鉄の割合を示す「出銑比」などの数字で、常に他の製鉄所と比べられる。その数字が突きつけるのが、新鋭製鉄所である君津の背中が、もはや遠くにかすんでしまうほどの、八幡が置かれた危機的な状況だった。

この操業トラブルは結局、事なきを得たが一歩間違えれば伝統ある八幡製鉄所の火を絶やしかねない事態だった。三輪にとっては引退後の今も忘れられない苦しい日々だったという。

スウェーデンの港町

2000年代に入ると、再び景色が変わった。猛烈な経済成長を始めた中国が鋼材を「爆食」し始め、日本を含むアジア一帯の市況が急激に改善したのだ。

長く低迷していた日本の鉄鋼業も息を吹き返した。新日鉄全体の高炉を統括する役員になっていた三輪が、そんな折に出会ったのが水素製鉄だった。2008年に水素製鉄プロジェクトの初代リーダーに選ばれると、三輪はスウェーデンに飛んだ。

三輪が訪れたのは、北極圏に近いバルト海の最奥部に位置するルーレオという街だった。今では静かな海辺に小さいながらも美しい街並みが広がる。

有史以前に氷河によって削り取られたフィヨルドの合間にある小さな港町だが、そこからさらに北に350キロほど分け入ったところにあるキルナ鉱山で採れる鉄鉱石を鉄道で運び、欧州一帯へと運び出す港湾として栄えてきた。

三輪の目当てはこの街にある小さな炉だった。それは世界でも数少ない水素製鉄も試せる実験炉だ。日本から資材を持ち込んで石炭の代わりに水素を使う製鉄法を試す。現地での交渉にあたった三輪には、懐かしい思いがこみ上げてきた。

「これって、どこかで見たような……」

なんだったのか思い出せないが、なぜだか見覚えがある――。それが思い違いではなかったことが分かった。

炉を管理する現地鉄鉱石大手ＬＫＡＢの幹部に聞くと「実はこの（水素製鉄の）炉は昔、日本にあった東大の実験炉をモデルにして作ったのですよ」と、驚きの事実が返ってきた。学生時代の三輪が高炉にほれ込むきっかけになった、あの小さな炉のことだ。

世界の鉄鋼産業を見渡してもスウェーデンは先進国と言っていい。良質なキルナの鉄鉱石を使い、日本がまだ江戸時代初期の17世紀にはすでに製鉄所を稼働させていた。北欧諸国の中でスウェーデンが早くから自動車や航空機を中心に工業化に成功した由縁だ。20世紀に入り、後進国だった日本はドイツや米国から技術を学んで台頭する。それと入れ替わるようにスウェーデンは国内の需要が限られることもあり、世界の鉄鋼産業の中での地位は埋没していった。

時代は移り変わり鉄鋼産業では規模だけでなく、環境も問われるようになる。すると、かつての鉄鋼先進国であるスウェーデンは、早くから水素製鉄に目を付けて研究を進めていた。そのことは三輪も承知していたが、まさかその実験炉がひそかにモデルとしていたのが、かつての鉄鋼後進国である日本の設備だったとは――。高炉一筋で欧州で学んだ経験がある三輪にとっても、驚きの事実だったという。

ならば、今度は日本がもう一度、環境先進国であるスウェーデンに追いつき追い越すべきだ。

「これを日本に作りたい」

ルーレオの地で、三輪がこう思ったのも当然だろう。帰国すると国の援助も受け、ＪＦＥスチールや神戸製鋼所など他社の協力も取り付けて作り上げたのが、君津に立つ水色の覆いで隠された水素製鉄炉だった。

高炉屋が新しい時代を託した水素製鉄の舞台は、かつてライバルと目した君津に譲ったが、三輪は「水素の世界になった時に何が日本の鉄鋼業の強みとなるのか。それが見てみたい」と語る。

とはいえ、水素製鉄実現へのハードルはまだまだ高い。

例えばコークスと違い、高炉から熱を奪う水素の特性にどう対応するか。また製鉄に必要なだけの大量の水素を安価に調達する手立ても見えない。積み残した数々の難題は、三輪らの意志を継ぐ次代の高炉屋に委ねられる。

ところで、三輪にはもうひとつの顔がある。古代製鉄法「たたら製鉄」の伝道師だ。たたらとは砂鉄と木炭を原料とした製鉄法で、映画「もののけ姫」に登場するたたら場のシーンを思い出していただければ、イメージしやすいのではないだろうか。

三輪は現役の頃から休みの日には、地元の小学校などで小さなたたらを手作りし、子どもを相手にものづくりの楽しさを伝えてきた。手弁当での活動はもう20年になる。

最近ではその作業がすっかりきつくなってしまったが、炎の中から黄金色の鉄が出てくる時に子どもたちがあげる歓声を聞くと、またやろうという気になるのだという。かつて、学生時代に自分があの実験炉から流れ出る鉄に感動して、この世界に飛び込もうと決めた原点を思い出すのだ。

日本のものづくりを支え続けてきた鉄鋼業。「鉄冷え」や「構造不況」と呼ばれた冬の時代をへて、今なお世界に挑もうとしている。その裏には鉄づくりに生涯を賭けた者たちが脈々と受け継いできた知られざる物語があった。

だが、そんな物語もノスタルジーで終わらせることはできない。そんな事態が、日本の鉄鋼業界を襲い始めている。

激震、「トヨタを訴える」

2021年9月末、日本製鉄がトヨタ自動車と続けていた半年間にわたる協議が物別れに終わった。

「トヨタを訴える」

日鉄が下した結論に、経済界が震撼した。

実はあわてたトヨタ首脳が、日鉄が提訴を決める直前に電話を入れ「見直してもらえないか」と懇願したが両者の溝は埋まらなかった。程なくして日鉄はトヨタを提訴するという決断を下した。率直に言って、長く鉄鋼業界を取材してきた我々にとってもこれほどの驚きはなかった。両社が築き上げてきた関係を知る者であれば同じ感慨を禁じ得ないだろう。

トヨタは日鉄にとっては最大の顧客だ。単に供給量が大きいというだけでなく、両社が業界の垣根を越えた二人三脚でともに成長してきたことは誰もが知るところだ。

トヨタの後ろにはいつも日鉄が控える――。

そんな「主従」の関係が長年続いてきた。新日鉄時代からトヨタが使いやすい鋼材をつくることを第一とし、他の自動車メーカーにはその技術を転用して対応してきた。トヨタが海外展開を進めれば、それに付き従うように現地に工場を建ててきた。

時に価格交渉でもめることはあっても、必ずトヨタを最優先して交渉を進めてきた。トヨタと妥結した価格を、他の自動車メーカーにも訴求させるやり方はいつしか「チャンピオン交渉」と言われるようになった。

トヨタが日鉄にとって絶対君主であることは、この業界の誰もが知る常識である。そんなあるじに、日鉄が突然、弓を引いたのだ。

この訴訟は結局、2年ほど後に取り下げられたが、日鉄の不退転の決意が伝わってくる。

日鉄が問題視したのが、無方向性電磁鋼板という特殊な鋼板を巡る問題だ。鉄の結晶の向きがバラバラで電気が流れると様々な方向に強い磁力を帯びる鋼で、電気自動車（EV）やハイブリッド車のモーターには不可欠とされる。一般の鋼板と比べて使用量は少ないが日鉄の技術力の粋とも言える鋼であり、世界的なEVシフトの中で注目度が高まっている。日鉄も大規模な増産に乗り出す最中だった。

その特許を侵害されたと日鉄が主張した相手が、中国・宝武鋼鉄集団傘下の宝山鋼鉄だった。日鉄が何度、無断使用をやめるよう伝えてもなしのつぶて。そこで宝山を提訴することにしたのだが、実効性には疑問符が付く。

そこで日鉄社長の橋本英二が下した決断に、社内外が驚いた。打開策として訴訟相手にトヨタも加えたのだ。

実は日鉄は宝山だけではなく、宝山製の電磁鋼板を使うトヨタにも再三にわたって使用を取りやめるよう要請していた。電磁鋼板を巡っては別の理由で韓国ポスコを提訴したこともあるが、言うまでもなく最重要顧客であるトヨタを訴訟相手に含めるのは異例中の異例の決断だ。

橋本自身は公式の場では「迷いはなかった」と話したが、我々の取材に対して、実は「数日前まで本当に迷いに迷った」と打ち明けた。

なにがそこまで橋本を駆り立てたのか。背景にあるのは、日鉄に迫る地盤沈下の足音だ。

地盤沈下

八幡製鉄と富士製鉄が合併して新日本製鉄が誕生した1970年、粗鋼生産量で米US

スチールを抜いて初めて新日鉄が世界首位となった。国内初の市場近接型臨海製鉄所として稼働したばかりの君津製鉄所が1971年に高炉3基体制となると、その地位は盤石のものだと思われた。

だが、そこから2度の石油危機やバブル崩壊と長い「鉄冷え」が続いた。新日鉄が息を吹き返したのは2000年代初頭に中国の経済成長が始まってからのことだ。

冬の時代にさしかかろうとしていた1979年、橋本は新日鉄に入社した。海外営業で名を上げ始めたのが、鉄冷えがいよいよ深刻化した90年代のことだ。

「日々地球儀を回しながら、どこかに売れる場所はないかと思いを巡らせた」

橋本は当時の仕事ぶりについて、こんな表現で振り返ったことがある。当時は日米欧の鉄鋼大手にとって未開の市場だったインドや東南アジアに進出した。こうして「新日鉄の熱延コイルは新興国に強い」と言われる素地をつくっていった。

21世紀に入り新興勢との国際競争が激しくなると、新日鉄と橋本が置かれた状況が急展開する。

1998年には台頭著しいポスコに世界首位の座を明け渡し、2006年にミッタル・スチールが欧州アルセロールを買収する。

ミッタル・スチールはインド出身のラクシュミ・ミッタルが一代で築き上げた鉄鋼王国

だ。経営が成り立たなくなったインドネシアの電気炉を買い取ったのを皮切りにM&Aの手を次々と世界中へと広げていった。

トリニダード・トバゴ、メキシコ、ポーランド、カナダ、アルジェリア、南アフリカ、チェコ、ウクライナ……。その視線の先にあったのが欧州最強の鉄鋼メーカーであるアルセロールだった。買収交渉は二転三転したが、アルセロールはついにミッタルの手中に収まり、新生アルセロール・ミッタルが新日鉄を上回る世界首位の巨大鉄鋼メーカーへと上り詰めたのだ。

この間、君津の年間粗鋼生産が初めて1000万トンを突破して名実ともにアジアを代表する巨大製鉄所となるが、一転してミッタルによる買収におびえる日々が始まった。

結果的にミッタルは次の標的を同業の鉄鋼メーカーではなく鉱山に向け、巨額の資金で鉄鉱石などを買いあさるのだが、この間に新日鉄は買収防衛策の整備を進めていった。

およそ1年にわたり買収防衛策を固めていった新日鉄だが、その結果として内部で下した結論は、本当に標的にされた時、「防ぐ手立てはない」だった。当時、買収防衛に携わったある首脳は「あの時、(アルセロールを買収した)返す刀でうちがミッタルに狙われていたらひとたまりもなかった」と回想する。

そんな危ない状況をやりすごし、2012年に新日鉄が住友金属工業と合併して「日本製鉄」となり、さらに巨大化した。ところが中国では共産党政府の主導で国営鉄鋼メーカー同士の大型再編が始まり、新生・日本製鉄の存在感は高まったとはいえない。むしろ、世界的な存在感の低下を象徴するかのように君津の高炉は3基から2基に減った。今や中国メーカーの背中は遠くにかすんでしまっている。

長年にわたる地盤沈下にさらされる日鉄――。

橋本は、虎の子の技術まで奪われては「素材企業としての存続基盤が危うくなる」と考えた。これが、相手がトヨタであっても一歩も引けない理由だ。

タカ派の社長

現在の日鉄が繰り出す強気の戦略は、橋本自身が見てきた日本の鉄鋼業界を取り巻く景色や、そこから生まれてくる問題意識と無関係ではないだろう。

もっとも、橋本がタカ派で鳴らすのは今に始まったことではない。語り草となっているのが2014年に起きた、ブラジル鉄鋼大手ウジミナスの経営権を巡るアルゼンチン企業との攻防劇だ。新日鉄が経営権の一部を取得したウジミナスを誰が統治するのかというテーマを巡る交渉はもめにもめた。

その会議のテーブルは毎回のように激しい議論に発展する。橋本は手帳に英語の「汚い言葉」を書き連ねて交渉に臨んだという。それまでの事なかれ主義的な新日鉄の気風とは違い、絶対に妥協しないことを相手に印象付けるためだ。結果、当初は相手が拒んだ新日鉄の主張をのませて和解に持ち込んだ。

船舶に使う厚板の営業マン時代にも、最重要顧客である三菱重工業への供給分を、造船業で日本を追い抜いた韓国への輸出に切り替えると通告して波乱を起こしたことがある。三菱重工も造船の世界では業界を取り仕切る王者だったが、橋本はここでも弓を引くことをためらわなかった。そこまでしてでも採算性を確保しなければ将来は尻すぼみになるとの論理だったが、当然ながら社内でも大問題となった。

実はトヨタにも橋本がタカ派であるとの警戒感は以前から広がっていた。トヨタとの間で年に2回行われる自動車用鋼板価格を巡るチャンピオン交渉。水面下での相対交渉だが、先述の通りそこで決まる価格は自動車にとどまらず鋼材全体に影響するため産業界の注目が集まる。

2019年に社長に就任すると、営業出身の橋本は社内で「売る力」という言葉を何度も使って、強気の値上げに動いた。2021年度上半期には約3割に相当する2万円の大幅値上げを突きつけた。値上げ幅は半期ベースでは過去最大となる。

当然ながらトヨタはこれを突っぱね、交渉は難航した。この頃の橋本はトヨタに対して「自分たちだけがもうかればいいと思うのは理不尽だ」と言い放ち、一歩も引かない姿勢を打ち出した。

この時の値上げの効果は大きかった。日鉄の2022年3月期の決算では、連結純利益が6373億円と過去最高を記録した。

橋本改革によって劇的に変わる日鉄――。とはいえ、橋本を突き動かすのは単なる利益至上主義ではない。

「宝山は許せない」

そもそも自動車用鋼板は他の鋼材と比べてもうけが薄い。トヨタなど自動車メーカーの要望に合わせて開発レベルから作り込むからだ。強度は高いが加工しやすい「トヨタ仕様」の鋼板に、細かい成分の段階からつくり上げるのだ。

基幹製鉄所である君津と、隣接する研究所が連携してトヨタの要望をひとつずつ形にしていく。そのための目に見えないカネと労力がつぎ込まれたのが自動車用鋼板だ。

そんな技術力の象徴が、冒頭の電磁鋼板なのだ。トヨタを訴訟の対象に含めたのは、そんな見えざる負担を背負ってきたという長年の経緯があることは間違いない。

ただし、橋本にとって本当の「敵」はトヨタではない。

タカ派として訴訟という強硬策に打って出たのも、長年をかけて築いた蜜月関係が根底から揺らぐものではないとみるからだ。

その一方で、橋本は周囲にこう漏らす。

「宝山は許せない」

その言葉の根底には、世界の鉄鋼業の覇権を握る中国勢への脅威だけではなく、40年近く続く両社の歩みがある。日鉄の技術に手を伸ばし、日鉄の前に立ちはだかる宝山はまぎれもなく、日鉄自身が生み出したものだった。その宝山が日鉄の「虎の子」に手を出した。だから誰もが驚いた訴訟に踏み切ったのだ。

「宝山は許せない」

橋本の言葉の背後に存在する鉄鋼を巡る日本と中国の物語――。主役となったのが、君津製鉄所だった。

「宝山を訴えたのはちょっと悲しいね。あれだけ中国のために一生懸命にやったのに……」

千葉県君津市に住む水野文雄はこうつぶやいた。トヨタ自動車まで巻き込む訴訟問題は水野ら日鉄OBたちにとっても寝耳に水だった。

水野は我々が取材した当時88歳で現場を離れて久しいが、無関心ではいられない。その時から40年近く前に上海に渡り、上海宝山製鉄所（当時）の建設に汗を流したからだ。

「あの時の実習生（教え子）たちは今どうしているんだろう」

自分のことを水野先生と呼び、とにかくなんでも学び取ってやろうという貪欲な彼らの姿が今も鮮明に記憶に残る。

鄧小平の要請

水野が君津にやって来たのは1968年のことだ。高校を卒業して数年後に八幡製鉄に入社した。その八幡製鉄が富士製鉄と合併して新日本製鉄となる直前に稼働させたのが君津製鉄所だった。

のりの養殖が盛んだった海を埋め立て、日本で初めての市場近接型臨海製鉄所として誕生した君津は一時、日本の粗鋼生産全体の1割を造り出す巨大製鉄所となる。その建設の

水野文雄氏は現地での中国の技術者たちの指導にあたった(右から3人目でヘルメットをかぶるのが本人)

ために関連会社も含めて八幡近辺から2万人もの関係者が移った様は「民族大移動」と呼ばれた。水野もその一人。生まれ育った北九州を離れて君津にやって来た。

その日から10年後の1978年10月。日本に生まれた新鋭製鉄所にやって来たのが、当時の中国の最高権力者である鄧小平だった。竹芝からホーバークラフトに乗って君津製鉄所の岸壁に到着し、製鉄所を一通り視察すると案内した新日鉄社長の稲山嘉寛と専務の斎藤英四郎（後に社長）に「これと同じ製鉄所が欲しい」と要請した。

中国共産党が改革開放を決めたのがそれから2カ月後のことだった。1966年に始まった毛沢東政権による文化大革命で痛みきった経済を立て直すための方針転換だったが、そのためには工業化を支える良質な鉄が大量に必要になることを、鄧小平は理解していた。毛沢東時代には紛争に備えて製鉄所などの軍需工場は内陸に建設する「三線建設」が進められたが、本格的な経済活性化のためには君津製鉄所のような市場近接型の巨大な臨海製鉄所が不可欠となる。

実は鄧小平の来日に先立つ1972年に日中の国交が正常化すると、内陸に位置する武漢製鉄所の鋼板生産ラインの建設に、新日鉄が協力したことがある。その際に労務部から武漢に派遣された関澤秀哲（後に新日鉄副社長）は、当時の様子を昨日のことのように覚えていた。

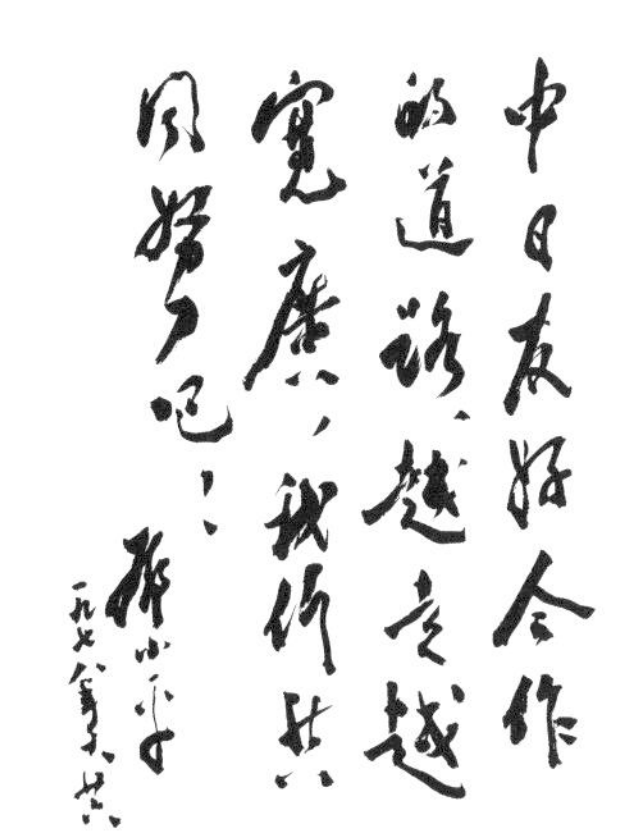

鄧小平が残した書は今も日本製鉄が保管している

新日鉄からの派遣団が至る所で目にしたのが赤いカバーの「毛沢東語録」。製鉄所内ではいたるところに共産党のスローガンが大書されている。安全靴もヘルメットもなく、従業員は布の靴を履いて質素な「工人帽」をかぶっている。製鉄所内には団地があり、現場を子どもたちが走り回っていた。肝心の設備が取るに足らないレベルであることは、言うまでもなかった。

君津製鉄所を訪れた鄧小平は稲山たちを前に自国を「生徒」、日本を「先生」と表現した。メンツを重んじる中国の指導者としては異例中の異例と言えるだろう。

稲山が「総力を挙げて協力します」と断言すると、斎藤は「これ（君津）以上のものを作りましょう」と応じた。後に稲山はこの時の会談の印象を「自国の遅れを話し、先進諸国の技術を教えて欲しいと率直に言える。自信がなければ言えないことです」と振り返っている。

上海に渡った技術者たち

ここから動き始めた上海宝山製鉄所プロジェクトは日中経済協力の目玉として今も語り継がれている。作家、山崎豊子の代表作である小説『大地の子』の舞台となったことでも知られている。

宝山を建設するため、新日鉄を中心に関連メーカーを含めて延べ1万人もの人員を上海に送り込んだ。

水野が働く君津製鉄所内の分塊工場からは40人以上が上海に渡った。高炉から出てきた

1978年10月に君津製鉄所を訪れた鄧小平

鉄の成分を調整して延ばした「スラブ」と呼ばれる半製品を造る工程を担当するのが分塊工場で、広大な製鉄所の中では上工程の一端を担う。

当時はまだ今のような大都会ではなく、舗装されていないでこぼこの道路が目立つ上海。市内からさらに北に向かい大河・長江が黄海へと流れ出る河口のほとりにあったのが上海宝山製鉄所の建設予定地だった。よどんだ川の流れのとなりに、ただただ広大な土地が広がっていた。

日本からの派遣団の多くが宿泊したのが製鉄所の建設現場のすぐ隣に建てられた宝山賓館だった。1000人規模が常駐し、管理職は「北所」、現場の従業員は「南所」と分けられたが食事は1階の大食堂に集まる。水野は南所の部屋に入り、毎日のようにアヒルとタウナギを食べたという。

現場に出れば分塊工場の均熱炉の前で中国の若い技術者たちに、鉄作りを教え込んだ。「みんな素直だったし、もの覚えもよかった」。

日本から来た「鉄の伝道師」から真摯に学ぼうという姿勢を目の当たりにして「これはいつか追い抜かれる可能性はあるだろうなと思った」と振り返る。


水野と同じく1968年に民族大移動団の一人として八幡から君津に送り込まれていた岡田康範も、1983年に宝山賓館に派遣された。

岡田が任されたのが設備管理関連の指導だ。たとえ「君津と同じ製鉄所」を作ったとしても「同じ鉄」を造れるとは限らない。

巨大な機械をどう動かせばいいのか、温度や圧力の管理をどうすればいいのか、機械の部品の寿命をどう見分ければいいのか――。そのノウハウこそが鉄作りの妙と言える。

岡田が伝えようとしたのが八幡から君津へと引き継がれていたこの暗黙知だった。一緒に上海に渡った水野と同じく、驚かされたのが現場で接する中国人従業員たちの貪欲さだった。

現場を歩きながら岡田がメモを取ると、すぐに「先生、そのメモをください」と迫られる。通訳が少しでも言いよどめば「英語で説明してもらえませんか」。詳しく説明しても「もっと他にもやり方はあるのでは」と問い詰めてくる。

「彼らはもしできなければ死刑になるというくらいの覚悟でした」

岡田はその時に感じた鬼気迫る熱量を、こんな表現で振り返る。

的中した不安

そして1985年9月15日、ついに宝山の第1高炉に火がともった。聖火リレー方式で運ばれてきた火が高炉に入ると、日中の要人を中心に集まった関係者から万雷の拍手がおきた。

この高炉は年産300万トンと日本の大型高炉にも引けを取らない規模だ。現地の祝福ムードを感じながら、当時の岡田はふと思ったという。

「こんなんつくったら日本の鉄鋼業はすぐに脅かされるんじゃないか」

岡田の予感は40年近くたった今、現実のものとなる。2020年、宝山製鉄所を中核とする中国宝武鋼鉄集団の年間粗鋼生産量が1億トンを突破した。中国メーカーでは初の快挙で日鉄の2倍以上にあたる。宝武鋼鉄はアルセロール・ミッタルを抜いて世界首位の鉄鋼メーカーとなった。

その祝いの席上で宝武董事長の陳徳栄はこう断言した。

「1億トンは新たな出発点にすぎない。我々は早期に世界の鉄鋼業界のリーダーとなる」

かつての「先生」である日鉄を規模で軽く上回る存在となった宝山。その触手は日鉄の技術の粋と言われる電磁鋼板にまで伸びてきた。日鉄は無断で特許を使用されたとして宝山を提訴した。タカ派で知られる日鉄社長の橋本英二が「宝山は許せない」と言うのは、先人たちが築いてきた関係を踏みにじる行為だと考えるからだ。

結果的に自ら未来の敵を作ってしまった日鉄――。では、当時の経営陣の選択は愚策だったと言えるだろうか。前出の関澤は1978年当時、君津製鉄所で係長として鄧小平の訪問受け入れを担当することになった。後に稲山と斎藤の秘書も歴任した。その関澤は、稲山たちの決断についてこう振り返る。

「その頃の財界人は世界の発展のために日本にできることは何かと考える。中国の発展はアジアの安定につながる。そのために貢献しなければならない。そういう考えです」

日鉄の前身である八幡製鉄と富士製鉄も黎明期にはドイツや米国のメーカーから技術を教わってきた。「鉄は国家」の言葉が象徴するように、近代国家の発展には鉄鋼業が欠かせないというのが20世紀までの常識であり、そのための国際協力は日本に限ったことではなかった。日本は宝山以前にもブラジルのウジミナスや韓国のポスコの建築に全面協力してきた。

現実的には、国策としての色彩が強い経済協力に、当時の新日鉄が背を向けるという選択肢はなかったことも事実だろう。

では、未来に向けて重要なことは何か――。関澤は、稲山と斎藤から何度もこう言って聞かされたという。

「日本のものづくりが他の国より常に一歩先を行けばいい。そうでないとダメなんだ」

先人の哲学は単なる理想論ではないはずだ。実際、橋本は２０２３年末に2兆円もの巨費を投じて米国の鉄鋼の老舗、ＵＳスチールの買収に乗り出すと表明した。その視線はアジアを超えて世界に広がっている。

それに、宝山のモデルとなった君津製鉄所には、確かに他国の一歩先を走るための武器が備わっていた。今に続く「データ製鉄」とも言える取り組みだ。

張り巡らされるAIの「目」

オレンジ色に光る鉄の塊が轟音を立てながら流れてくる。圧延ロールの間を行ったり来たりするうちに、少しずつ深い赤みを帯びつつ延ばされていく。鉄の塊からは遠く離れた通路にいても、その熱が肌までヒリヒリと伝わってくるほどの高温だ。

君津製鉄所の中心部に位置する熱延工場だ。鉄の塊を延ばして様々な鋼材の母材となる熱延鋼板に仕上げる。1978年に中国からやって来た鄧小平もここを視察し、この時に通った黄色い見学路は通称「鄧小平ロード」として今も残されている。

当時から変わらない景色だが、その中身は大きく変わろうとしている。パッと見ただけではまったく分からないが、熱延工場の各所には500個のセンサーがちりばめられている。延ばされていく鋼に加わる温度や圧力など2000種類以上のデータを取得していく。しかも、100ミリ秒ごとという細かさだ。

無線を使ってセンサーから集められたデータは、NECの協力を得て人工知能（AI）で分析し、設備が最適な状態で稼働しているかどうかを刻々と割り出していく。2021年1月から試験的に始めたAIを駆使した最新の鋼材造りだ。

君津の「熱延ライン」には今も鄧小平が視察した際の小道が残る

日本のデジタル化を先導していた君津

稼働から半世紀以上がたち、今では製鉄所内を見渡せば朽ち果てたような設備も散見される君津製鉄所。東京湾から吹く風が岸壁に積まれた鉄鉱石の山を通過して吹き付けることもあり、所内の主要工場はどれも赤いサビで覆われている。

デジタルとは無縁に見える古びた建物が立ち並ぶ君津製鉄所だが、実はその進化の歩みは日本のコンピューター史の写し絵とも言えるハイテク工場という、もうひとつの顔を持っている。

日鉄の前身である八幡製鉄が君津製鉄所

を稼働させてから3年後の1968年、熱延工場の隣にある厚板工場に導入されたのがIBMのメインフレーム型コンピューター「システム360」だった。

米国から進出してきたIBMにとっては、日本で足場を築く契機になるシステムでもある。24時間稼働で巨大設備を管理するシステムが君津で導入されてその効果が証明されると、金融機関など他の業種にもコンピューター化の波が広がっていった。

1990年代前半になるとインターネットという巨大な技術革新が押し寄せる。当時、こんな逸話がある。日本で初めて本格的な商用インターネット接続業を始めたインターネットイニシアティブ（IIJ）創業者の鈴木幸一が真っ先に目を付けたのが新日本製鉄だった。

まだ郵政省（現・総務省）による認可が下りずに金策に苦しんだ時期、新日鉄のシステムを統括する役員に鈴木が出資を頼み込むと、こんな風に言われたという。

「企業が事業でインターネットを使うようになるなんて夢物語。もし我が社が遊びではなく事業のツールで使うようになったら銀座をフルチンで逆立ちして歩いてみせますよ」

ただ、この話はここで終わらなかった。

君津製鉄所を中心にこの国のコンピューターのけん引役という顔を併せ持ち、コンピューターの黎明期から現場で発生するデータを蓄積し続けてきた新日鉄。IIJが1994

年3月に事業化に成功すると、この役員もネットのインパクトにはすぐに気づき、真っ先にＩＩＪの回線を取り入れたという。

蓄積された「現場のデータ」

時代が進み２０１０年代になるとクラウド化を進め、さらに現場の「モノ」の側でデータを処理するエッジへビーコンピューティングの技術もいち早く導入していった。

新日鉄が本格的にインターネット技術を取り入れる直前の１９９２年に入社し、君津製鉄所に配属された中田昌宏は現場を見て回って「とにかくデータ化された一次情報が多い」ことに気づかされたのだという。

この時点で君津製鉄所はすでに稼働から30年近くたっているが、メインフレーム型コンピューターの時代から先人たちが残してきた「現場のデータ」は、中田の目には宝の山に映ったという。

中田がそう思ったのには個人的な理由もあった。実家は東京都小金井市の板金工場。新日鉄から鋼板を買って加工していた。鉄は身近な存在だったのだが、少年時代の趣味がコンピューターだった。小学生の頃から秋葉原に通い、自分でソフトウエアを組んで実家の工場で利用していたという。

そんなマニアックな少年が社会人となって君津製鉄所の現場を踏んだ。配属された製鋼工場には当時からセンサー類や電流計が張り巡らされていた。中田が言う温度や圧力など細かな現場の「一次情報」が吸い上げられる当時の様子は、テクノロジーのレベルが違うとはいえ現在と大きくは変わらない。

当時は製鋼工場に置かれるパソコンの台数は限られていたが、驚かされたのが現場から君津製鉄所に隣接する研究所の大型コンピューターに直結できることだった。

「現在のデジタル改革の素地は、データに関しては昔からあったんですよ」

2020年に執行役員に就任し、全社レベルのデジタル改革の責任者となった中田は、こう語る。鋼づくりの現場が日々生み出す大量のデータ。それを集めてものづくりの進化につなげようという哲学は、君津製鉄所に受け継がれたDNAだったわけだ。

「ただ、当時の技術だと、どうしてもデータをまとめてつなぐことができない」

テクノロジーが進化した今こそ、中田は君津が持つデータの力を解き放つことができると考える。製鉄所のデジタル化のキーワードとして中田が掲げるのが「つなげる力」だ。

AIはそのためのカギとなる。NECなどIT企業と提携するだけでなく「アイアンエッジ」と呼ぶAIとエッジコンピューティングを掛け合わせたシステムを独自に開発している。

「データ製鉄」への転換

君津製鉄所で受け継がれる「データ製鉄」の系譜。その成果を1枚にまとめた画面がある。横軸に各製鉄所が並び、縦軸には上から順に「製鋼」「熱延」「酸洗」と鋼造りの上工程から下工程へと流れていく。それがエクセルの表のようにずらりと並ぶ。

各マスの色はオレンジが「受注済み」、緑が「受注して製鉄所に発注」、灰色は「工事休止」。すべてのプロセスが数百万件ものデータをもとにリアルタイムでつながっている。各マスをクリックすれば、どの会社から発注を受けたどの鋼材がどの製鉄所でいつ生産されるのかが一目瞭然となる仕組みだ。

ひと口に鋼材と言っても、単に大量生産品を造るのではない。一品ずつの鋼を造りわけ、ロットを管理していく。2021年から取り入れた独自開発のシステムだ。日鉄はこのようなデジタル改革に1000億円以上を投じる計画だ。

日本の近代製鉄は1900年前後に東北の釜石と、九州の八幡という遠く離れたふたつの拠点で生まれた。ふたつの製鉄所は戦前戦後に工業化社会を支え、その技術力の結晶として1965年に生まれたのが君津だった。

それから半世紀余り。日本の鉄鋼業は中国に押され、規模の面では地盤沈下が著しい。だが、現場レベルで脈々と受け継がれてきたデータや水素といった次世代技術の種は枯れることなく開花の時を迎えようとしている。

鉄のあけぼの、基幹産業、鉄冷え、構造不況、そして、つなげる力──。100年以上にわたる歩みの中で、この国の鉄鋼業は様々な形容がなされてきた。そして「君津の高炉」は今、この時間も鉄をつくり続けている。

第 4 章

シャープ・亀山工場

——日の丸家電の栄光と凋落、
液晶「オンリーワン」の驕り

登場人物

早川徳次 ……… シャープ（旧早川電機工業）の創業者。シャープペンシルの発明者。

佐伯旭《あきら》 ……… 2代目社長で「中興の祖」。半導体、電卓、液晶などの開発を推進し、シャープを家電大手の一角へと育てる。

町田勝彦 ……… 液晶テレビ「アクオス」の開発を命じた4代目社長（1998~2007年）。テレビをすべて液晶にすると宣言。佐伯の娘婿。

片山幹雄 ……… 堺工場建設など液晶の拡大戦略を指揮した元太陽電池エンジニア。49歳で5代目社長に就任した通称「シャープのプリンス」。在任は2007~12年。後に日本電産に転じる。

佐治寛 ……… 町田社長時代の「番頭」で、堺工場をシャープから分社して2009年に発足させた「SDP」の初代社長。

矢野耕三 ……… 亀山工場建設に携わったシャープの液晶生産部門のリーダー的存在。

方志教和 ……… 亀山工場再建のために片山が送り込んだ半導体のエンジニア。

梅本常明 ……… 方志の側近で当時の2014年からデバイスビジネス戦略本部戦略統括。

呉柏勲 ……… ホンハイから送り込まれたシャープ社長。2022年に44歳で就任。

シャープの栄華は長く続かなかった

1973年	世界初の液晶表示電卓(液晶ポケット電卓)を発売
1998年	町田勝彦専務が社長昇格「2005年までに国内で販売するテレビを液晶に置き換える」と宣言
2001年	液晶カラーテレビ「アクオス」発売
2004年	亀山工場稼働開始
2009年	堺で液晶パネル工場が稼働
2012年	酸化物半導体(IGZO)を採用した液晶パネルの量産開始
2016年	業績悪化、鴻海精密工業から資本受け入れ傘下に
2020年	ディスプレーデバイス事業を分社化、シャープディスプレイテクノロジーを設立

かつて液晶テレビで一世を風靡したシャープ。液晶パネルから最終製品まで自社工場で完結させる生産方式を「亀山モデル」と自ら銘打ち、垂直統合型と呼ばれたその手法は当時の日本のものづくりの手本とも呼ばれた。

しかし、韓国・中国勢の追い上げを受けて、その栄華は長くは続かなかった。極度の経営不振に追い込まれ、2016年に鴻海精密工業（ホンハイ）の傘下に入った。シャープはどうやって坂道を駆け上がり、なぜ転げ落ちてしまったのか。日台連合のもとで、シャープは本当に復活できるのだろうか。

偵察部隊

「昔はあの丘からサムスンの連中がよく工場をのぞいていたな」

シャープで液晶テレビの開発や生産に長く携わってきた矢野耕三はこう振り返る。「あの丘」とは、シャープが液晶テレビの主力工場として2004年に稼働させた亀山工場の向かいにある小高い丘のことだ。

クルマから降りてうっそうと木々が茂る坂を上っていくと小さな公園がある。そこからさらに丘を登り、頂上に立つと真向かいに立つ亀山工場の全容が見渡せる。

通称、「サムスン・スポット」。その名の通り、韓国サムスン電子の関係者が双眼鏡を携えて工場に出入りする部材メーカーや装置メーカーの動向を偵察していたという。

世界最新鋭の技術が積み込まれた巨大工場として鳴り物入りで操業を始めた亀山工場。日々出入りする従業員や取引先企業には機密管理の徹底が求められた。

その秘密主義の網をかいくぐり、液晶で世界の先頭を走るシャープから少しでも情報を得ようとサムスンが偵察部隊を送り込んだというのが、このサムスン・スポットだ。

それから20年――。丘の上に、偵察部隊の姿はない。

いまでは亀山では液晶テレビ「アクオス」はほとんど生産しておらず、パソコンやタブレットに使う中小型液晶パネルの製造拠点に変わった。部材などを供給する関連企業も集積し、「クリスタルバレー」ともてはやされた往年のにぎわいは過去のものとなった。

「液晶ディスプレーの試作品をじーっと見つめていた町田さんの表情は今でも忘れられない」。矢野がこう言って振り返るのは1988年ごろのことだ。後に社長になる町田勝彦は液晶テレビで大勝負に打って出た人物だ。

当時、専門機関に依頼して実施したブランド浸透度調査でシャープは「顔の見えない会社」と呼ばれていた。この頃の主力は半導体だったからだ。「家電の王様」と呼ばれていたテレビ事業では商品力の決め手となるブラウン管を、シャープは持っていなかった。

営業畑を歩んできた町田は、2代目社長でシャープを大手家電メーカーの一角へと育てた実力者、佐伯旭《あきら》の娘婿ということもあり、懇意にしていた販売店も多かった。せっかくテレビの注文を取ってきても生産現場からは「ブラウン管が調達できないので卸せません」との報告が幾度となくあがってきたという。矢野は「町田さんは生産現場を突き上げながら、販売店に申し訳ないと、何度も悔しい思いをしたという話をよく聞いた」と振り返る。

「それなら、ブラウン管ではなく液晶を自分たちで作ってテレビを売れるようにしたらいい」

その悔しさをはらすかのように、町田は1998年に社長に就任すると「国内で販売するテレビを2005年までにすべて液晶に置き換える」と宣言した。

その言葉は当時驚きをもって受け止められたが、やり遂げなければただの大阪の一企業の域を出ないとの思いもあった。町田は義理の父である佐伯とは大阪・阿倍野の同じ敷地に住んでいた。シャープの中興の祖で名経営者と言われた佐伯に対する意地もあったのだろう。

電卓から液晶テレビへ

こうして動き始めたシャープの液晶構想——。液晶の力で、「家電の王様」と呼ばれるテレビで下克上をなし遂げる。町田の野望は根拠のないものではなかった。シャープにはテレビではなく電卓で長年にわたって培ってきた液晶の技術力が確かに備わっていたからだ。

液晶シフトの現場を託されたひとりが、古参技術者の矢野だった。入社したのは1972年。シャープが「早川電機工業」から社命を変更した2年後のことだ。営業畑の町田は矢野にとって3年先輩にあたる。

矢野が入社した頃のシャープは、1960年代に火が付いた「電卓戦争」と呼ばれる熾烈な競争を戦うさなかにあった。今ではスマホに取って代わられた電卓だが、当時は最新鋭のコンピューター技術が詰め込まれ、その頭脳となる半導体に長足の進化をもたらしたことで知られる。シャープも早川電機の時代に世界初のオールトランジスタ式電卓を実用化し、電卓によって家電メーカーの地位を築いていった。

電卓がもたらしたイノベーションは半導体だけではなかった。計算を表示するディスプレーにも革新の波が及んでいた。1968年、米電機大手のRCAが世界で初めて液晶ディスプレーによる表示装置を発表した。これにいち早く目を付けたのがシャープだった。当時、シャープはRCAと技術提携しており、RCAに電卓用ディスプレーの開発を依頼した。しかし、液晶は応答速度が遅いため、電卓のように素早く計算結果を表示することが求められる商品には対応できないと断られてしまった。そこで、シャープは自ら液晶の開発に着手した。これが「液晶のシャープ」の始まりだ。

液晶の開発は困難を極めたが、開発開始から5年が過ぎた1973年6月、シャープはついに世界初となる液晶表示型電卓「EL－805」を世に送り出した。その威力は抜群だった。当時、蛍光表示管などを使う他社の電卓が単3電池4本で10時間動いたのに対して、シャープのEL－805は単3電池1本で100時間も駆動させることに成功したのだ。性能の差は圧倒的だ。半導体に次いで液晶という武器を手にしたことで、シャープは、一時は50社ほどがひしめいていた電卓戦争を勝ち抜いていった。

1980年代に入ると、モノクロだった液晶のカラー化に向けた開発競争が始まる。口火を切ったのが電卓戦争でシャープと張り合った諏訪精工舎（現・セイコーエプソン）が2インチのカラー液晶テレビを発売し、「テレビアン」の愛称で親しまれた。長年のライバルに先行を許したシャープも、もっと大きな通常のテレビに使えるような液晶を目指してきたが、その道のりは長く険しいものだった。

「テレビの父」と呼ばれる高柳健次郎がブラウン管で「イ」の字を映し出すことに成功したのが大正15年の1926年のこと。それ以来、テレビの世界では、ブラウン管の性能を競うことが常識となっていたのだ。

生かされた太陽電池の技術

1973年に入社した矢野が開発現場で駆け抜けてきたのは、こんな時代だった。そのキャリアは電卓用液晶に始まり、液晶一筋に歩んできた。電卓戦争では勝利を収めたものの、家電の王様であるテレビとなればまったくの別物だ。

どうやって大型化すればいいか、低コストで量産するためにはどんな技術が必要か、液晶の弱点と言われ続けた応答速度の遅さをどう克服すればいいのか、斜めから画面を見づらい問題をどう解決すべきか——。

課題は山積していたが、営業出身の町田からは「セイコーエプソンができるんだったらおまえたちにもできるだろう」と厳しい要求が突きつけられた。開発現場に視察に来るたびに、技術的な課題にはさほど関心を示さず「やれ」とだけ周囲に命じていたという。町田がターゲットに据えたのはＡ４判（14インチ）サイズの本格的なテレビ用液晶ディスプレーの開発だった。

液晶テレビで先行したセイコーエプソンだが、当時の技術ではポリシリコンという素材を１０００度以上の高温で結晶にする必要があった。

「同じことをやってもしょうがない」

腹をくった矢野たち液晶技術陣は、低温で加工できて製造プロセスも比較的短い「アモルファス（非晶質）シリコン」を使ったＴＦＴ（薄膜トランジスタ）液晶テレビを開発することを決めた。ここからシャープのパネル開発の苦闘が始まった。

亀山工場建設に関わったシャープの社員たち（前列中央がリーダーの矢野耕三氏）

ＴＦＴ液晶基板は「薄膜形成」「パターニング」「エッチング」「洗浄」の各工程を繰り返して製造される。

最初の壁となって立ちはだかったのが、液晶の基板に使う大判ガラスに対応できる「薄膜形成」の技術だった。矢野のいた液晶部隊には、この分野に精通する技術者はいない。

ここでシャープにとっても矢野たち液晶部隊にとっては願ってもいなかった幸運が訪れる。当時、開発に行き詰まりチームが解散されていたのが、薄膜太陽電池の開発陣だった。その面々が矢野の液晶部隊と合流することになったのだ。薄膜太陽電池に欠かせないのがアモルファスだった。

太陽電池の開発陣には、のちの亀山工場の責任者を務める広部俊彦や桶谷大亥、そしてのちに49歳で社長となり「プリンス」と呼ばれた片山幹雄がいた。矢野は「アモルファスの物性などを熟知するスタッフが10人くらいごっそり来て技術融合が進んだことは運がよかったとしか言いようがない」と振り返る。

亀山工場で狙う「家電の王者」

ただ、精密パターンを形成するための大型露光装置などは世界を見渡してもどこにもない。

86年にプロジェクトに着手してから翌年には量産に入るが、品質検査にひっかかり全てが不良品となった。シャープの実力不足は明らかだった、挽回するためには専門性に優れた装置メーカーの力が欠かせないと、矢野は考えた。

矢野は露光マスクのＨＯＹＡやカラーフィルターの凸版印刷などに試作機の開発をお願いした。誰も作ったことのない装置だ。装置をつくる側にもリスクがある。

「今は赤字なんで支払うお金がありません。成功したあかつきにはしっかり本社に掛け合って代金を支払います」

矢野は、無理を承知で頼み込んだ。その熱意にほだされたのか、装置メーカーもこの無茶な話にのってくれた。「当時は装置メーカーの現場リーダーの権限も大きかったんでしょうね。本社にあげずに現場で決めて応じてくれたんでしょう。太っ腹でした」。こうした努力が積み重なって１９８８年に14インチの液晶ディスプレーの発表にこぎ着けた。

社内にあった薄膜の技術など原料の加工から、部材・装置メーカーとの擦り合わせによる製造プロセスの内製化、そして量産と、ここからシャープが一時代を築いた「垂直統合」の生産方法が確立していった。

ブラウン管を持たなかったシャープは、ブラウン管を供給してくれる大手電機メーカーからたびたび「いじわる」を受けていたという。電卓戦争に勝利し全国的に名が知られるようになったとはいえ、家電の世界ではまだまだ関西の一メーカーに過ぎない。

そんな積年の悔しさを晴らしてくれるのが、液晶テレビだった。２００４年に亀山工場が完成すると、「家電の王様の王者」の座を手に入れようと一気呵成に攻めに出た。

2004年1月、亀山第1工場が稼働した。1500ミリ×1800ミリの大型ガラスを月1万5000枚投入し、26インチの液晶テレビ換算で月18万台分のパネルを量産する、誰もが認める世界の先頭を走る最新鋭工場だ。

液晶パネルの世界では、一枚のガラスから何枚の液晶パネルを取れるかがコスト競争力を左右する。量産可能なガラスの大きさによって「世代」が定義されるが、亀山第1工場は「第6世代」となる。この時点で、世界で亀山だけが量産可能なサイズだった。

ただし、その背中を追う者たちがいた。韓国メーカーだ。LGフィリップス（当時）はすかさず第6世代の工場を建設すると宣言し、サムスン電子もガラスの一辺が2メートル級の第7世代の工場を建設する計画を打ち出した。

先を行くシャープを徹底的にベンチマークする戦略は、今でも業界で語り草となっている。シャープも液晶製造装置メーカーから技術が流出する懸念があるため、重要な設備は自社でつくって対抗した。

亀山第1工場内には迷路を張り巡らせ、限られた技術者以外はその設備がどこにあるかわからないようにした。ケータイの持ち込みは固く禁じられた。外部から購入している一部の装置は他社には販売しないという契約も交わした。「秘伝のタレが外部に漏れないようにする」。つまり、徹底したブラックボックス戦略を採ったのだ。

それでもわずかな情報から亀山の実態をあぶり出そうと送り込まれたのが、「サムスン・スポット」で双眼鏡を傾ける偵察部隊だった。

「こっちも工場立ち上げに懸命だったが、向こう（＝サムスン）も当時追いつこうと必死だったんだろう」

矢野はこう言って振り返る。こんな諜報活動がどれほどサムスンにとって有益だったのかは分からない。後述するように技術者を引き抜くという、もっと露骨な手段でシャープの技術を丸裸にしてきたからだ。

液晶で世界の先頭を走り始めたシャープの背中には、その座を狙う足音がひたひたと迫っていた。

ただし、シャープの目には後を追う韓国勢の不気味な影より、目の前に立ち塞がる巨大なライバルの存在の方が切実な脅威として映っていた。同じ大阪に本拠を置く家電の古豪・松下電器産業（現・パナソニックホールディングス）である。

松下電器の逆襲

矢野が「こっちも立ち上げで懸命だった」と言う通り、大々的に稼働し秘密のベールに覆われていた亀山第1工場の中では、様々なトラブルを抱えていた。最大の問題は歩留まり率（良品率）の低さだった。稼働した当初は5割にとどまった。つまり、亀山で造る液晶パネルの2枚に1枚が使い物にならなかったのだ。

それでも2004年の当時はいわゆるデジタル家電の普及が急速に進み始めるタイミングと重なった。テレビに関しては工場稼働に先立つ03年12月にアナログに代わる地上波デジタルの放送が始まっていたことも、ブラウン管から薄型テレビへの買い替えを後押ししていた。

社内外から聞こえる「本当にちゃんと量産できるのか」という声もいつしか、かき消されていく。亀山の液晶テレビは作れば作っただけ売れたからだ。あの松下電器でさえ、亀山産液晶パネルの供給を仰がなければならない事態に陥っていた。

ただし、王者・松下電器も、いつまでも「格下」のはずだったシャープの後塵を拝しているわけにはいかない。テレビの覇権をかけて大勝負に打って出た。シャープが液晶に社運を賭けたように、松下電器が賭けたのがプラズマテレビだった。結論から言えば、これが現在に至る長期間の低迷の原因となってしまったのだが……。

２００６年5月。打倒・液晶に向けて松下電器は兵庫県尼崎市のパネル工場で技術発表会を開いた。会場には同社のプラズマテレビ「ビエラ」と並び、社名のロゴの部分を黒いテープで隠した液晶テレビが置かれていた。シャープの液晶テレビ「アクオス」だった。展示場には松下電器が初めて商品化した１０３型の超巨大プラズマテレビから普及型の37型まで8機種の「ビエラ」が置かれていた。各サイズのビエラの隣には、これ見よがしにアクオスが並べられた。

松下電器のビエラと、シャープのアクオス。言い換えれば松下電器のプラズマと、シャープの液晶。どちらの映像が美しいかを誇示する狙いは、誰の目にも明らかだった。

その中でも注目が集まったのはフルハイビジョンのアクオスと標準ハイビジョンのビエラを並べた58型のブースだった。あえて「敵方」のアクオスが有利になるよう設定した点に、松下電器の露骨な「シャープ潰し」の意図が見てとれた。

「プラズマなら標準ハイビジョンでも液晶のフルハイビジョンと同等の画質が楽しめます」

「同じサイズでいたずらに高い価格の製品を売るのはどうかと思います」

「液晶ではこれ以上の大型化は難しいでしょうね」

「見ての通りです。動画応答速度や視野角の広さ、黒色の深みはプラズマの方が優れています」


松下の説明者はシャープの名前を挙げないものの、ビエラの隣に置かれロゴを隠した液晶テレビを徹底的にこき下ろした。消費電力の点で液晶にはかなわないデメリットについては完全にスルーだ。記者から突っ込まれても「画面全体が暗い時にはむしろプラズマの消費電力が低くなる」と、はぐらかした。

こんなスペック競争が松下電器を泥沼に引きずり込むことになる。それは、シャープにも同じことが言えるのだが……。いずれにせよ、この時点でシャープと松下電器がブラウン管に代わる薄型テレビで一騎打ちを始めた。


「液晶vsプラズマ」

「亀山vs尼崎」

関西の地で沸騰するテレビ戦争には、日本のみならず世界の目が集まった。その戦いに勝利するのは、シャープだった。

松下電器の挑戦を受けたシャープは、アクオスの大型化と価格引き下げを同時に進めるため、矢野をリーダーに亀山第2工場に新技術を取り入れるべく開発を進めていた。画面サイズの大型化ではプラズマが有利とされていたが、その常識を覆す狙いだ。

矢野が亀山第2に取り入れたのが「インクジェット方式」と呼ばれる技術だった。カラーフィルターを印刷してガラス基板に吹き付ける方法で、一回の印刷で済むためコストも安くし、工程も簡略化できた。

亀山第2で造る2160ミリ×2460ミリの「第8世代」のガラス基板は、厚さが1ミリにも満たない。たわむガラス基板の搬送の仕方を変えたほか、液晶滴下技術を採用したり、消費電力を低減させるために配線に銅をメインに使ったりするなど、数々の新技術を導入していった。こうして投資生産性を亀山第1工場の2倍にまで引き上げた。

2006年秋にはプラズマテレビの売り上げが金額ベースで前年割れとなり低迷が始まる一方で、液晶テレビは40型以上が金額構成比で初めて2割を超えた。苦手とされてきた大画面でもプラズマを凌駕し始めたのだ。

陶酔の中で

日本で松下電器との競争に明け暮れる間にも、シャープを追う影は、ひたひたとその背中に迫っていた。もっとも、この頃にはまだシャープに一日の長がある。

シャープが亀山第1工場を第6世代で立ち上げた後に、韓国勢が第7世代のガラス基板を使う工場建設を宣言したのは前述の通りだ。シャープはLGを突き放すため、亀山第1が稼働したわずか2年後に亀山に第2工場を立ち上げた。これが第8世代。たった2年間で世代をひとつすっ飛ばしたわけだ。この垂直立ち上げにも、素材や装置メーカーとの強固な関係がものをいった。

亀山工場の道を1本隔てたところには凸版印刷が、1キロほど離れた場所には日東電工の工場が拠点を構える。亀山でなんらかのトラブルが起きれば昼夜を問わず駆けつけた。当初はなかなか上がらなかった歩留まりを向上させるために常に工場に目を光らせ、装置や生産工程の改良を重ねていったのだ。

こうして大量生産される「亀山モデル」のアクオスがシャープの業績を押し上げていく。AV・通信機器部門の売り上げが2004年3月期の8374億円から、2008年

3月期に1兆5982億円にまで伸びた。液晶パネルを供給する液晶部門と合算すれば、売上高は2兆2815億円と、シャープ全体の7割近くを占めるまでに成長した。

町田が液晶への完全シフトを宣言してからこの時点で10年。その言葉通りに、シャープは液晶テレビで家電の天下を取った。亀山モデルに象徴される「液晶のシャープ」は、栄華を極めたかに見えた。

だが、それもはかない夢に終わる。シャープの衰退は韓国勢との競争に敗れたためと語られることが多い。それは事実なのだが、その一方で、内なる病が絶頂期のシャープをおかし始めていた。

この頃に顕在化してきたのが、プラズマを含めた世界的な薄型テレビの過当競争だった。特に韓国勢が巨額投資するパネルは、供給過剰という構造問題を抱え始めた。家電量販店によるテレビの値引き合戦も過熱した。パネルの値下がりが厳しく材料費を含めた製造原価を切り詰めないと採算がとれなくなってきた。

変調への対応が遅きに失してしまった理由のひとつとして挙げざるをえないのが、パナソニックのプラズマを破り一流企業の仲間入りを果たしたという「おごり」だった。50社を打ち破った電卓戦争。「初めて箱根を渡った」とも言われたガラケー。それに次ぐ「家電の王様」での大勝利――。シャープの社内には、形容しがたいユーフォリア（陶酔）が漂っていた。無理もあるまい。自分たちを常に格下と見下してきたソニーや松下電器の鼻を明かしてやったのだ。痛快なる勝利の余韻に浸るなと言う方が難しいというものだ。

だが、そこで生まれた油断が、シャープにとって命取りになった。

「打ち出の小づち」の誘惑

好調な業績を背景に格付けも上がり、それまで銀行借り入れに頼っていた工場建設など設備投資の資金調達をコマーシャルペーパー（ＣＰ）の発行を通じて自ら手掛けるようになったのが、この頃のことだ。これがシャープを狂わせた。

シャープは長く「石橋をたたいても渡らない」と揶揄されるほどの堅実な投資姿勢を貫いてきた。かつて副社長で財務担当を経験した佐治寛も、１９９０年代の半導体や液晶の投資競争が激化する中で財務の健全性を維持するために、設備投資額は売り上げの10％までという上限を設定してきたと証言する。

しかし、液晶の大ヒットで自ら定めた規律は、いつしかなおざりになってしまっていた。CPを「打ち出の小づち」のように発行するようになり、2012年3月末には残高が3510億円にまで膨らんだ。気がつけば長短借入金（3253億円）を超えてしまっていた。

シャープの経営理念には「いたずらに規模のみを追わず、誠意と独自の技術をもって、広く世界の文化と福祉の向上に貢献する」とある。規模では同じ大阪に本拠を置く松下電器には太刀打ちできない。ブランド力ではソニーにかなわない。

そこで液晶に賭け、世界に先駆けて液晶テレビを世に広めて脚光を浴びた。町田が目指した「オンリーワン」企業の野望は成就したが、液晶へのこだわりがシャープを底なしの投資競争に引きずり込むことになったのだ。

亀山第1工場が稼働した2004年に大阪市内で開かれた業界の賀詞交換会。顔を出した3代目社長の辻晴雄は「液晶に特化するのはいいが、その先はどうなるのか。勢いがある時こそトップから現場までが緊張感を持って考えないといけない」と言い残して会場から姿を消した。その苦言が、聞き入れられることはなかった。

2007年4月。シャープ社長に49歳の片山幹雄が就任した。片山はもともとは太陽電池の技術者だったが、液晶の開発チームに合流することとなり、矢野耕三がテレビ用の小型液晶を開発していた際の部下だった。現場で亀山工場の立ち上げに奔走していた矢野とは対照的に、亀山第1工場が稼働する前年の2003年に取締役に昇格すると、とんとん拍子で出世していった。

シャープには珍しい東京大学工学部出身の技術者で、端正な顔立ちと理路整然とした語り口、さらに自信に満ちた強気な性格と、4期連続で過去最高益を達成していた当時のシャープの勢いを象徴する人物だった。「亀山工場を通じてシャープの液晶を世界に知らしめた功労者であることは間違いない」と矢野も認める。

「プリンス片山」が社長になって最初に手掛けたのが、堺工場の建設だ。社長就任から3カ月後の7月末、片山は堺工場の建設を発表した。亀山工場の4倍もの広大な敷地に3800億円を投じる計画だ。

「液晶コンビナート」と名付けた堺工場には、液晶に賭けるシャープと片山の並々ならぬ意欲が込められていた。

コンビナートの名の通り、カラーフィルターの凸版印刷（現・TOPPANホールディングス）やガラス大手の米コーニング、旭硝子（現・AGC）など部材メーカー、電気・ガス会社など17社が同じ敷地に拠点を構える。

電力や工場用水の共同利用、部材の運搬コスト削減などを通じて競争力を一段と高める計画だった。あわせて片山の出身である太陽電池の大規模工場も併設、液晶や太陽電池の両方で使える成膜技術や液晶生産で使うガラス部材や工業ガスなども共用することで材料や原料の原価削減を一段と進めることを目指した。

それはまさに、石油化学や鉄鋼など重厚長大産業がかつて築いてきた一大産業クラスターを、当時は「弱電」と呼ばれた家電で実現しようという壮大な構想だった。

「液晶の次も液晶」

2004年の亀山第1工場の稼働からわずか2年で亀山第2工場を完成させ、さらに1年後には堺工場を立ち上げた。三つの工場を立て続けに建設することを決めたシャープ。当時の財務責任者で副社長の佐治寛は「堺工場の建設について迷いは一切なかった」と証言する。液晶の投資競争で韓国勢などが追随する中で「液晶でここまでシャープはのしてきた。この時点で引くことはできなかった」。

2006年のシャープの液晶テレビの世界シェアは11・5%（旧米ディスプレイサーチ）とソニーや韓国サムスンに次ぐ3位にとどまっている。佐治は「ここで突き放されるわけにはいかなかった」と振り返る。

だが、「液晶の次も液晶」と言ってのけた強気で知られる片山の言葉とは裏腹に、液晶テレビは大型化へとまい進するだろうというシャープの読みとは違う方向に動いていた。日本では大型テレビの売れ行きが伸び悩み、期待していた50～60型はシャープが想定していたほどは売れなかった。

すると、シャープの誤算が浮き彫りになり始めた。徐々に液晶テレビやパネルが余り始めた。

堺工場は世界初の第10世代として50～60型の大型テレビの生産を対象にしたが、市場が育たない。当時の液晶テレビの国内市場の伸びより、堺と亀山2工場を含めたシャープの供給能力が上回ってしまう計算となった。余ったテレビやパネルを、ソニーのように海外市場でさばけるブランド力もなかった。

そこでシャープはパネルの外販戦略にかじを切る。

2007年に東芝、その翌年にはサムスンと連合を組んでいたソニーにパネルを供給することに成功した。東芝やソニーにとっても家電の花形である液晶テレビの過熱競争による採算悪化を防ぐには、液晶テレビの原価の多くを占めるパネルの調達先を複数確保し、競わせることで価格下落に対応する狙いがあった。

東芝はかつてシャープが第3世代のパネル生産に乗り出すときに、腰が引けていた装置メーカーに対し一緒に働きかけてくれた経緯がある。パネルの安定調達の見返りとしてソニーは、シャープが堺工場を分社して子会社の「ＳＤＰ」を設立する際に、最大34％出資する契約を結んだ。懸案となっていた堺工場の稼働率を上げるための策は打った。

しかし、まだ課題は残っている。堺工場（ＳＤＰ）の生産コストの問題だ。

ソニーCEOの怒り

サムスンや松下電器などライバルも薄型テレビの増産投資を相次いで打ち出しており、テレビやパネルの価格も急速に下がっていた。激しい投資競争を勝ち抜くためには、さらに採算をあげることが不可欠だが、堺では思うようにコスト削減が進まなかった。

その要因を液晶技術一筋の矢野に聞くと、「技術革新のないなかで新工場を建てたからだ」と返ってきた。単純な規模の拡大競争に自ら足を踏み込んでしまったということだ。

ここで興味深い分析を紹介しよう。かつてシャープに在籍していた中田行彦（立命館アジア太平洋大学名誉教授）によれば、１９９４年の第2世代から２００６年の亀山第2工場稼働までの間に、ガラス基板面積あたりの投資額は2・5年で35％低下してきた「中田の法則」が成立していたという。しかし、堺工場は1平方メートルあたり４３７億円と亀山第2の282億円の1・5倍と逆に膨らんでいる。

亀山第1からわずか2年で第2工場を新造した際、矢野はインクジェット方式を導入してコスト削減を進めた。しかし、矢野にしてみれば堺工場は「亀山をただ単に大きくしたコピー工場にすぎなかった」。堺工場の建設は「新しい技術がない時に前に進んではいけない」というシャープのものづくりの「教え」を逸脱していたのだ。

矢野は当時、中国企業に技術供与するために派遣されていたため、堺工場の建設計画には携わっていなかった。「液晶のシャープ」の生き字引といえる矢野にとっては、痛恨事である。

「コンビナート」の全体を見渡しても、電力やガス代、さらには搬送費を削減できるとして進めた液晶コンビナート構想も思い通りには進まなかった。電気やガスなどは調達契約の関係で思うようにコストが下がらなかったという。一方で、ガラスやカラーフィルターの価格は高止まりし、稼働直後の堺工場の収益を圧迫した。

サムスンなどライバルを追撃するあまりに見切り発車的なスタートを切ったと言わざるを得ない。

経営面での失態も重なった。最大のミスはソニーへのパネル供給を巡る問題だ。

リーマン・ショックでの市場の落ち込みを支えるため政府は2009年に「エコポイント」制度を導入して薄型テレビの販売を支えた。政府の需要喚起に加え、引き続き地上デジタルへの移行で液晶テレビの販売は伸び続けていた。それに伴い液晶パネルが一時的に不足した。

その際、シャープの幹部たちは堺のパネルを自社のテレビに優先的に回すよう指示を出したのだ。その結果、ソニーには液晶パネルが十分に回らない事態が起きた。

ここまで液晶の開発をリードしてきたはずが、ここに来て技術の進化に追いつけない実態も、徐々に明らかになってきた。

当時はLEDバックライトを搭載したパネルが主流となりつつあった。LED搭載パネルはライバルのサムスンが採用したものだが、よりパネルを薄くでき、消費電力の削減にも効果が大きかったため、多くの液晶テレビに搭載されていった。ソニーもそのパネルを要求したが、シャープの設計・開発部隊にはノウハウがなく、急遽作ったパネルはほとんどが不良品で使いものにならなかったという。

結局、ソニーはエコポイントの特需に沸くなか、店頭に十分な新機種を並べることはできなかった。その知らせを聞いたソニー会長兼CEOのハワード・ストリンガーは「シャープは信用できない」と激怒したというが、当然だろう。

両社の関係は急速に冷え込み、結局提携は解消された。

かつて町田勝彦がブラウン管を供給してもらえず販売店にテレビを届けられなかったその辛酸を、今度は逆に、シャープが「加害者」として再現してしまったのだ。液晶テレビという最終製品だけでなく液晶パネルを供給していくデバイスメーカーとしての地位を築こうとしていたシャープだったが、早々に家電業界から失格の烙印を押されることになった。

アップルの「下請け」になった亀山

巨艦・堺工場の空いたラインを埋めてくれるはずの重要なパートナーを逸し、「亀山のコピー工場」である堺ディスプレイプロダクト（SDP）は稼働率の低下に悩まされ続ける。

そのSDPに初代社長として送り込まれたのが、シャープ副社長で金庫番の佐治だった。佐治は当時を振り返りながら、「うちはデバイス屋にはなりきれなかった。液晶テレビの最終製品メーカーとしての思い上がりにも似たプライドが判断を誤らせた」と言葉少なげにぽつりと語った。

シャープの液晶パネル子会社の「堺ディスプレイプロダクト」（堺市）

液晶テレビで天下を取ったのもつかの間、一転して迷走し始めたシャープ——。さらに追い込むイノベーションが、遠く米西海岸のシリコンバレーからやって来た。

２００７年にアップル共同創業者のスティーブ・ジョブズが「電話を再発明する」と宣言して実用化したｉＰｈｏｎｅだ。翌08年には日本にも到来し、モバイル・インターネットの波は瞬く間に世界中に伝播していく。誰もが手のひらに収まるスマホで映像を楽しむ時代が始まり、巨大なモバイル経済圏ができあがったのだ。

その衝撃は液晶業界を激しく揺さぶった。

「亀山を変える。アップルとやるから来て

くれないか」

２０１１年秋、白物家電や業務用の設備装置を手掛ける八尾工場（大阪府八尾市）にいた方志《ほうし》教和のもとに一本の電話が入った。当時社長の片山幹雄からだった。

方志は長く半導体の開発・生産に携わっていた。福山工場（広島県福山市）にいた時期には富士通の半導体トップだった小野敏彦が訪れ、方志が手掛けた半導体のコンパクトなクリーンルームを見て「こんな工場もできるのか」と舌を巻いたという。

半導体で培った微細化加工や製造プロセスのノウハウをアップル向けのモバイル液晶に生かし、工場存続の危機にあった亀山工場を救ってくれというのが、片山が方志に託したミッションだった。

液晶テレビ「アクオス」を生んだ亀山第1工場はリーマン・ショックや競争激化による採算悪化などで２００９年にラインを止め、その設備は中国企業に売却していた。稼働からわずか5年後のことだった。

危機が忍び寄る中でシャープがテレビに代わる液晶パネルの用途と見込んだのがスマホだった。社長となった片山は米シリコンバレーにあるアップル本社を訪れ、ｉＰｈｏｎｅ向けに液晶パネルの受注獲得に奔走した。

ただし、大型テレビ用のパネルを生産していた亀山第1工場には設備もなければノウハウもない。もぬけの殻となった亀山の命脈を保つために送り込まれたのが、方志をはじめとする半導体部隊、いわば「液晶の門外漢」たちだった。

実質的にアップルの専用工場として再起を期すことになった亀山第1工場。プロジェクトリーダーとして亀山に乗り込んだ方志だったが、いきなり強烈な洗礼を受けることになった。なんと、工場に入れないと言われたのだ。

亀山工場はアップルの認証を受けた社員でないと入れなくなったためだ。顧客であろうと問題があれば臆せずに物言う方志を、アップルは出入り禁止にしていた。

リーダーとして亀山の再建を託された方志にとって、じくじたる思いは募った。しかし、亀山のライン改修にかかった1000億円の半分はアップルが負担している。「足元を見られている」との思いも方志にはあったが、ここは割り切ってアップルの要求に一つ一つ応えていくしかない。「とにかく歩留まりが悪かった」という亀山工場に高精細のCGシリコンを使った液晶パネルのラインを黙々と埋め込んでいった。

中国に求めた打開策

アップルを呼び込んで息をついた亀山だったが、アップルの下請けになるということは・iPhoneの売れ行きにシャープが振り回されるリスクを受け入れることを意味していた。

・iPhoneの売れ行きは好調だったが、予断は許されない。アップルは当時、パネルの最大取引先として韓国のLGディスプレーを、2番手にジャパンディスプレイ（JDI）を選定していた。3番手になんとか入り込めたシャープは、いざiPhoneの売れ行きが振るわなくなれば、いつ契約を切られるか分からない弱い立場にあった。

そこで方志は「アップルの呪縛」から解放されるための打開策を中国に求めた。

2014年にデバイスビジネス戦略本部戦略統括となり、方志を支えてきた梅本常明は「中国の通信機器メーカーはアップルを超えたいという思いが強い。スマホを突破口に『高精細の液晶はシャープ』という評価を得られればパソコンやタブレット、さらには大型テレビにも展開できる」と読んで、方志を後方支援したと話す。

うまくいけば工場ごとに液晶パネルをつくり分けることができる。

多気工場（三重県多気町）は小型のLTPS液晶、堺は大型のTFTアモルファス、そして亀山は省エネタイプの「IGZO（イグゾー）」パネルと、それぞれの工場がタイプの違う液晶を集中生産することで競争力を高めることができる。梅本は、この棲み分け戦略が実現すれば、結果として「液晶のシャープという3代目の辻晴雄社長以来培ってきた企業ブランドを復活できる」という絵を描いた。

そこで方志は、当時まだ中国で新興の域を出なかった小米（シャオミ）の創業者である雷軍に交渉を持ちかけた。

「まだスマホの販売台数が１００万台程度の時はシャオミも先行き大丈夫かというリスクがあった。『こっちもリスクを承知で誠意を持って要求したパネルを開発していくので一緒にやろう』と説いて関係を作った」

方志はこう振り返る。エンジニアとしての顔も持つ方志の熱意に、雷も信頼を置いたようだという。

「パネルの在庫が出ても『あとは知らん』と突き放すアップルと違って、雷さんはなんとか処分できないか折衷案を持ってきて互いに克服しようという義理人情が通じた」

シャオミを突破口にシャープは台頭する中国のスマホに販路を拡大していった。特に引き合いが強いのが省エネタイプの「イグゾー」だった。亀山第2工場もイグゾーの生産で稼働率を大きく高め、工場内は久々に熱気に包まれていった。

工場の稼働が上がるにつれて業績も回復してきた。２０１４年3月期の液晶部門の連結営業損益は、13年3月期の１３８９億円の赤字から、４１５億円の黒字に転換した。全体の4割を液晶がたたき出した。それまでシャープの赤字の元凶とされてきた液晶部門だが、一転、復活のけん引役となった。

中国での消耗戦

それでも油断はできない。梅本はライバルの動きへの備えも怠らなかった。

当時は円安も追い風になり、シャープと同様、東芝と日立製作所、ソニーの中小型液晶事業を統合して発足したJDIも華為技術（ファーウェイ）やOPPO（オッポ）など中国企業に攻勢をかけ取引先を広げていた。

「中国勢はプライドが高く、韓国勢のパネルは買わない。注意しないといけないのは天馬微電子だ」と梅本はにらんだ。

中国南部の深圳市に本拠を置く天馬は、NECの液晶事業を買収して台頭してきた液晶パネルメーカーだ。日本の技術を採り入れており、すでに品質に大差はない。

スマホなど通信分野で米国に追いつこうと高品質のパネルを欲しがる中国で、日本の液晶パネルメーカーが張り合う異例の構図になっていた。そこに天馬のような中国地場の液晶パネルメーカーが台頭してきた。

中国で液晶パネルのデバイスメーカーとしての地位を確立するには、シャオミだけでなくなるべく多くのスマホメーカーに販路を広げる必要がある。置かれた状況はライバルであるJDIも同じだ。

ところが、14年の後半に入ると好調だった中国のスマホ市場に陰りが見えるようになってきた。パネルが余り始めてじりじりと価格が下がる。そんな折りに、値下がりに拍車をかける動きがあった。JDIが価格競争を仕掛けてきたのだ。そうなってはシャープもシェアを奪われるのを指を加えて見ているわけにはいかない。日本勢の「同士打ち」によって中国のパネル市況は急速に悪化していった。

そんななかシャープをトラブルが襲う。同年10月に台湾のタッチパネルメーカーである勝華科技（ウィンテック）が経営破綻したのだ。シャープはウィンテックのタッチパネルを装着して液晶パネルをシャオミに供給していたため、シャオミへのパネル供給が滞ってしまった。

こうして亀山の在庫はたまっていった。

この時、方志は体調不良を抱えていた。頸椎《けいつい》を傷めてしまい、本格的に事態収拾に乗り出すのは頸椎の手術を終えるのを待たなければならなかった。しかし、本社はそれを待つ余裕がなかった。シャープが置かれた状況は差し迫ったものがあった。

シャープは創業100周年の2012年に希望退職者を募り、約3000人が会社を追われた。実質的にシャープはすでに銀行の管理下にあったのだ。

当時は、次年度以降のV字回復を実現するために全部門にわたって棚卸し資産を見直し、工場の減損も実施してウミを出し切ることにしたという。銀行からの支援を受け続けるためにも、シャープは早期に赤字の芽を摘む必要に迫られていた。

こうして亀山が減産を余儀なくされる間に、JDIはシャオミなどに安値攻勢をかけてシャープの牙城を崩しにかかった。さらにシャープが警戒していた天馬も競争に加わってきた。待っていたのは底なしの消耗戦だった。

「市況の変動はあるが、中国市場は将来的に伸びる。有力な取引先を獲得するために多少無理してでも受注を取りに行き関係を作る選択肢もあった」

方志はこう主張するが、本社の管理部門に蛇口を絞られた液晶部隊は戦線縮小を余儀なくされた。旗色は日を追うごとに劣勢となる。

結局、シャープは2015年3月期決算で「体質改善・構造改革」として各部門の工場の減損や在庫の評価損などを計上し、2223億円もの最終赤字に転落した。第4四半期だけで1917億円の追加処理費用を計上した。その半分は液晶部門だった。業績不振の責任を取る形で方志は辞任に追い込まれた。

こうしてシャープが戦線の縮小を余儀なくされるなかで、高品質なパネルを求めていた中国のスマホ各社も次第にシャープから離れていく。その空白を埋めるように天馬や韓国ＬＧがシェアを拡大していった。

その後、方志はライバルのＪＤＩに移り、方志を引き上げた片山も日本電産に転じた。会社の稼ぎ頭の製品を失い、核となる人材もいなくなった。

そして翌２０１６年、シャープは台湾・ホンハイの手に落ちた。

「まねされる商品を」

２０２２年、シャープのＣＥＯに呉柏勲が就任した。２０１６年にホンハイに買収されてからは、ホンハイの総帥である郭台銘（テリー・ゴウ）の右腕といわれる戴正呉がシャープのトップを務めてきたが、そのバトンを受けたのが44歳の呉だった。

「新しいシャープを作る。ブランドを変革したい」

４月に開かれた就任記者会見で、呉はこう言って意気込んでみせた。

液晶テレビ「アクオス」の絶頂期に社長に就任した時の片山幹雄が49歳。保守的な日本の電機業界にあって40歳代の社長の登用は当時、世間の注目を集めたが、ホンハイも若手の呉をシャープのトップに選んだ。

呉は台湾の家電販売店の家庭に生まれた。社交辞令かもしれないが、「当時から日本の家電ブランドに憧れを抱いていた」という。２００１年に鴻海に入社すると経営企画畑を歩んできた。２０１５年にシャープが堺工場を分社して設立した子会社「ＳＤＰ」で、非常勤ながら取締役に就任し、シャープと関わることになる。

２０１７年にはタイの販売会社社長に就任。19年からは東南アジアの副代表になり、白物家電などの販売を統括した。堅実な経営手腕が創業者のテリー・ゴウや戴の目に留まりトップに抜擢された。

呉は２０２０年にシャープの常務執行役員となり、戴の間近で経営手法を学んできた。戴は40ページ以上の経営基本方針をつくり部長クラスに周知徹底させたが、呉も東南アジアでは販売戦略をまとめた資料を作成し、社員にコストカットを徹底させるなど、厳格な管理経営を踏襲していた。ただ、ふたりの手法には違いもある。戴がトップダウンなのに対し、呉は「人の意見を聞いて決めるタイプ」というのがシャープ内の評価だ。

２０１６年にシャープの社長に就任した戴は社長としての決裁が必要な予算の額を数千万〜１億円から３００万円へと大幅に引き下げ、年間の販管費を１０００億円規模で圧縮

シャープの液晶テレビ『アクオス』と、町田勝彦社長（当時）

するなどコスト削減に取り組んだ。黒字基調は定着した。だが、液晶そのものがコモディティーと化していき成長戦略を描ききれなかった。

「他社がまねてくれるような商品は消費者にとってもよい商品だ」

シャープペンシルを生み出した創業者の早川徳次が好んで使っていた言葉だ。「まねされる商品」とはまだ世に出ていない商品だ。

実際、かつてのシャープは「まねされる商品」を果敢に世に送り出すことで成長してきた。

2代目社長の佐伯旭とともに電卓戦争を勝利に導いた「ロケット・ササキ」こと

佐々木正はトランジスタの可能性にいち早く目を付け、小さなディスプレーに液晶を取り入れた。佐々木はソフトバンク創業者、孫正義が学生だった頃にその才能を見いだし、起業のチャンスを与えたことでも知られる。孫は佐々木が2018年に亡くなってからも「先生」と呼び、無二の大恩人と慕い続けている。アップル共同創業者のスティーブ・ジョブズも一時期、ヒントを求めて佐々木を訪れたという。

その後、20世紀末に町田勝彦が社運を賭けて挑んだ液晶テレビ戦争。日本だけでなく韓国や中国のメーカーが続々と「まね」をして家電の王座を占う競争はアジアが中心となってデッドヒートしていった。

シャープはその競争を勝ち抜いたものの、栄華は続かず三日天下に終わった。その後は台湾資本の傘下に入って今もなお生き残りに向けた挑戦の日々を過ごしている。

果たして新生シャープは創業者が語ったような消費者の心をつかむイノベーションを起こして再び世界のひのき舞台に返り咲くことができるのだろうか。

ある技術者の独白

シャープが凋落した原因のひとつに、亀山工場を中心にブラックボックス化していたはずの技術があっさりと海外に流出してしまった事実がある。シャープを去り、かつての仲間たちから時に「裏切り者」のそしりさえ受けたという海を渡った技術者は数知れない。

そのうちのひとりの言葉を、ここに紹介する。匿名であることは容赦いただきたい。

私がシャープを辞めてサムスンに行ったのは堺工場の赤字がすごかったにもかかわらず、サムスンのテレビ部門はもうかっている、技術者として単純に「なぜだ」という関心があったからです。「サムスンの懐に入って知るしかないな」と思い、海を渡りました。

サムスンではエンジニアとして役員の手前の首席エンジニア、日本で言う部長クラスの待遇で仕事をしました。まず驚いたのが厳格なセキュリティー管理です。パソコンは社外に持ち出せません。持ち出そうとするとゲートの警報が鳴る。

会社で使う紙のなかには金属片が入っていて、コピーをする際もそのコピー機が金属片を感知できなければ印刷できない仕組みになっています。もちろん書類を社外に持ち出そうとしたらセンサーが感知して警報が鳴ります。書類を机に山積みにしたまま帰宅するシャープとは大違いでした。

社員のスマートフォンも専用のアプリを入れてカメラが作動しないようにしなければならない。セキュリティーの専門部隊が常時見回りをしていて、書類を放置していたりすると警告されます。

シャープで作るパネル部分の原価は材料費などで構成する変動費が10ドルほど高く、人件費や設備などの固定費は倍近く高かった。一方、偏光板や回路材料などサプライヤーから調達する価格はそう差がない。総じてサムスンはシャープの6～8割の原価でパネルを作っていたわけです。

当時、シャープの幹部が「シャープのパネルは世界一競争力がある」と息巻いていましたが、それは全くの妄想だったということです。シャープのパネルの生産コストが高かったため収益が出なかったわけです。

会社を追われた人たちが技術流出の担い手となったとよく言われますが、液晶技術の流出は1990年代から始まっていたと思います。（シャープ時代に）韓国に出張に行ったらシャープの上司が現地でいろいろ指導していました。日本の部材メーカーの技術者もよくサムスン社内で目にしました。2000年に入ってから中韓勢が急速にキャッチアップしてきたわけではなくて、彼らが成長する素地はもうできていて、堺工場ができた当時は目と鼻の先ぐらいまで迫っていたわけです。

今では中国が韓国の人材を引き抜いています。韓国LGディスプレーから中国に多くの人材が流れている印象です。中国でパネル最大手になった京東方科技集団（BOE）には

LGが、華星光電（CSOT）にはサムスンの出身者が多い。中国企業の開発リーダーが韓国人ということも珍しくありません。

装置メーカーからも技術は流れます。成膜や電圧の条件、ガスの流量などのレシピと一緒に装置が流れれば、機械を並べるだけでパネルはできてしまいます。日本の装置、部材メーカーのエンジニアも現地で顔を合わせたことがあります。

日本をはじめ韓国でも政府が技術流出のための施策を打ち出していますが、効果は疑問です。韓国では海外からの技術者受け入れは当たり前です。サムスンでは傘下の大学で2カ月間みっちり韓国語を学習します。学費はサムスンが負担し、10人に1人、グローバル・ヘルプ・デスクと呼ばれる人がいて生活に困らないように身の回りのことをサポートしてくれます。

シャープの幹部は当時、根拠もなく「シャープのパネルは世界一だ」と言っていましたが、サムスンはこのあたりのリサーチもしっかりやっています。サムスンはベンチマークすべきライバル企業をリストアップしていましたが、私が在籍していた当時ですら、そこにはシャープをはじめ日本企業の名前はありませんでした。

LGはもちろん最大のライバルに据えていましたが、海外メーカーではようやく台湾の群創光電（イノラックス）や友達光電（AUO）などが入っていた感じです。

サムスンとシャープとではパネルにかける陣容に大きな差があります。私が在籍していた当時のサムスンディスプレイの従業員は2万5000人を超えていました。一方のシャープは全拠点をあわせても現時点で5500人です。

研究開発は「現場」「先行開発」「研究所」のレベルでそれぞれ1年後、2年後、それ以降のテーマを追いかけていました。すでに液晶の先を見据えて有機ELの開発にも着手していました。各部門間で出てきた要素技術を束ねてひとつの商品やサービスに仕立てる取り組みも熱心でした。部門をまたいだ「アイデア出し会」も頻繁にやっていました。

シャープ時代の年収の1・5倍はもらえました。中国だと2~3倍の収入が得られると思います。絶対成果主義で競争は激しいですが、役員クラスになると世界が変わります。車がもらえ、年収は3000万~4000万円。トップクラスになると億単位です。ただ、成果が出ないと「明日から会社に来なくていい」とクビを宣告されます。

韓国では毎年10万人くらいの若者がサムスンの入社試験を受けるようです。社内では激しい競争がありますが、役員は退職後2年間は所得が補償されます。

クビにしてそのまま投げ出すと収入減を補うために同業他社に行って技術を売る人が出てくる。それを防止する狙いもあるのではないかと思います。会社の都合でリストラされて他社に移り、技術が流れる日本のメーカーとは違い、そのあたりの対策もしっかりとしています。技術に対する関心の高さと重要性、技術者に対する処遇など、日本の企業とは雲泥の差があります。

この液晶技術者の独白はここまでにしよう。

ここで問いたい――。

果たして誰が、彼のことを裏切り者と言えるだろうか。

身につけてきた技術に対するまっとうな評価と待遇を求めて働く人が国境を越えるのは当たり前のことだ。そんなビジネスの世界での常識を当たり前のように取り入れていたのがサムスンだったのだろう。

シャープはそれをやらなかった。それだけのことだ。そして、それはシャープだけだと言えるだろうか。他の会社はどうか。会社の発展に尽くしてくれたエンジニアたちを、あまりにぞんざいに扱っていないだろうか。

こんなところにも、日本のエレクトロニクス産業が凋落した原因がにじんでいる。

第 5 章

日立金属・安来工場

——「ハガネの変態工場」、検査不正はこうして生まれた

登場人物

本多義弘 …… 1965年に入社し安来工場の替え刃材を世界に売り込んだ「ミスター・カミソリ」。2003~06年に日立金属社長。

岸上一郎 …… キャリアのほとんどを安来工場で歩んだエンジニア。2020年から安来工場長。

佐藤光司 …… 冶金研究所長や安来工場長を歴任し2019年に日立金属社長に。だが、翌年に品質不正問題が発覚して引責辞任。

日立金属と安来工場の歩み

1899年	「たたら製鉄」の雲伯鉄鋼合資会社として安来工場が誕生
1956年	日立製作所から分離して日立金属に
1970年代	カミソリの刃が主力に
1980年代	半導体やブラウン管などの素材が育つ
2000年代	ピストンリングなど自動車向けの素材のシェアが急伸
2020年	長年に及ぶ品質検査不正が内部告発で明るみに
2021年	日立製作所が日立金属を米ファンドに売却することを決定
2023年	社名が「プロテリアル」に変更

この国のものづくりの雄のひとつである日立製作所が復活をかけて進める大規模なグループ再編。その輪から弾き飛ばされた名門企業がある。

2023年1月にプロテリアルと名を変えた日立金属だ。日立グループの御三家のひとつにも数えられたかつての中核企業は大樹のもとを離れて船出した。生き残りの武器となるのが日立金属の象徴ともいえる「ハガネの変態工場」だ。

「ヤスキ」を広げよ

年の瀬を迎えた2022年末、使い古された看板が静かに付け替えられた。

「日立の名前が変わるのはさみしいですね」

安来工場長の岸上一郎に、ある社員がこう話しかけた。新社名のプロテリアルにどうもなじめないのは岸上も同じだ。

「でも、やることは変わらんよ。ヤスキハガネを広げること。『日立』じゃなく『ヤスキ』と言われるようじゃないと」

岸上が入社したのはバブルが絶頂だった1989年。冶金を学ぶ学生時代に安来工場を見学した際の感動が日立金属を選ぶ決め手だった。

安来工場の歴史は日立金属より古い

例えば、すべてのハガネのもととなる溶鉱炉。熟練の職人が耐熱服を着込んで近づくとマグマのような鉄の塊の中に、柄の長さが2メートルほどもあるひしゃくを差し込み、生まれたばかりのオレンジ色の鉄を取り出す。当時は職人たちが自分の目で見て鉄の状態を確かめていたのだ。

そんなものづくりの現場に魅了され、日立金属というより「安来に就職したいと思った」という。2度の海外駐在を除けばこれまで安来一筋。ヤスキハガネと呼ばれる安来工場で造る鋼材のブランドには人一倍のプライドを持ってきた。

そもそも安来工場は1956年に発足した日立金属より半世紀以上も長い歴史を持つ。地元で受け継がれ名刀を生んできた

「たたら製鉄」の経営者たちが資金を出し合って作った工場が原点だ。

島根県の日本海に近い中海の静かな水面に立つ安来工場。この地域では古来、近郊で採れる砂鉄を使ったたたら製鉄が盛んだった。今では日本有数の特殊鋼工場として知られている。日本製鉄の君津製鉄所のように、その名の通り高くそびえ立つ高炉で鉄鉱石を溶かして鉄を大量生産するのに対して、特殊鋼は電炉という小さな炉で鉄スクラップを再利用する形で様々な鋼を作っていく。

高炉と比べて規模がずっと小さい分、小回りが利く。お客や用途ごとに、鉄分と一緒にレアメタルなど様々な添加物をきめ細かく配合して文字通りの「特殊な鋼」をつくっていく。添加物の配合の妙だけでなく、温度管理や「焼き」の入れ方、鉄を鋼にする際の叩き方。そのどれひとつにも最新のテクノロジーと同時に熟練の技が求められる。

1899年に「雲伯鉄鋼合資会社」として誕生した安来工場には、そんな技が脈々と受け継がれてきた。工場長の岸上もまた、鋼の技を継ぐ者の一人だ。

そんな伝統ある工場が大きく揺れたのが2021年のことだった。親会社の日立製作所が米ファンドに日立金属を売却することを決めたのだ。

日立製作所は2016年に立ち上げたモノとネットをつなぐデジタル基盤の「ルマー

ダ」を軸とする、大がかりなグループ再編に着手していた。デジタルとの親和性が働きにくいと判断されたグループ企業が次々と切り離された。かつて日立グループの中核をなす「御三家」と呼ばれた名門、日立金属であってもその例外ではない。

「いずれはうちも……」

熟練の技が代々受け継がれてきた安来の現場で育った岸上は、日立グループから売りに出される日がそう遠くないことを半ば覚悟はしていたという。

「変態」の哲学

ただ、巨大グループから外れても生き抜く知恵が、安来には存在する。その自信がある。

電炉から吐き出される溶けた鉄は安来工場内にある様々な工場へと送られていく。ちなみに読み方は「こうじょう」ではなく「こうば」だ。「こうじょう」はあくまで安来工場全体のことを指す。鉄は各「こうば」の各建屋に送られ、千差万別の鋼材製品へと作り替えられていく。

安来の主力である帯鋼はカミソリの刃になるかと思えば、半導体の足にあたるリードフレームといった繊細なパーツにも作り替えられる。クルマの無段変速機に使うベルト材は岸上が2006年から携わり、赤字続きだった事業をシェア世界トップにまで育て上げた。細い線材の代表格がエンジン部品のピストンリングだ。地球半周分にあたる月間2万キロほどもの長さを量産するが、数ミクロン単位の傷も許されない。

いずれも安来が半世紀ほど前から10年単位で育ててきた製品群だ。各こうばを闊歩する「組長」と呼ばれる幹部社員たちが知恵を競うように次世代のメシのタネを探し続けてきたのが安来の歩みでもある。

電子部品に自動車、工具、発電プラント、カミソリ……。近年では航空機向け部品を育てつつある。代々、こうばで受け継がれてきたメタモルフォーゼ（変態）を求め続ける哲学が、安来工場の競争力を生み出し、支え続けてきたのだ。

日立金属社長も歴任した佐藤光司も、そんな安来の「変態力」を体現してきた。若い頃には自動車向けの合金技術をたたき込まれたが、40代になって託されたのが半導体を回路基板に取り付けるはんだボールの量産だった。

古びた安来の建物を3階分ぶちぬいてクリーンルームを作った。当初は100円ショップでも部品をかき集めてコツコツと装置を自作したという。

独身のうちは近くの十神山寮で寝食を共にし、寮内で唯一エアコンが備え付けられていた集会室に集まれば酒盛りが始まる。近所の飲食店に繰り出せば日立金属の社員というだけでツケがきく。

こうして育まれる「日立金属＝安来工場」というプライドは強力な仲間意識を生み出してきた。モノづくり技術本部長の谷口徹も「安来だけ独立すればいいのにと思っていました」と言う。

ただし、「今考えればおごりでした」とも付け加える。そう痛感させられる事態が起きてしまったからだ。

互いに技術を競い合うこうば。そして「変態」の末に広がった無数の製品群は安来工場の強さであると同時に弱点でもあった。そう認めざるを得ない事態が2020年に発覚した。数十年にわたって繰り返され、隠蔽されてきた品質検査データの改ざん問題だ。

安来の社員たちが各こうばで管理職に昇進する際の任命式で、工場長から手渡しされる「一如庵語録」。1956年に日立金属が設立された際に、初代社長の中村隆一が残した言葉が並ぶ。そこに記された「和すれば強し」。そして、安来で働く者なら何度も聞かされることになる「誠実は美鋼を生む」。

その言葉が重くのしかかる。こうばや寮での「和」は隠蔽の遠因となり、「美鋼」への過信は検査軽視という独りよがりな風潮を生み出した。

時代の変遷を生き抜くために受け継がれた安来の流儀は、もろ刃の剣だった。それが白日の下にさらされた日が安来工場の再出発の時となった。

内部告発

きっかけは一通の投書だった――。

そこには安来工場で、品質検査に必要な試験も行わずに架空の数字を入力していると記されていた。従業員からの内部告発とみられるが送り先は日立金属ではなく、親会社である日立製作所だった。

事実であれば検査の意味をなさないばかりか、明らかに意図的にその数字を捏造していることになる。看過できない事態であり重大な不正であることは言うまでもない。

そして投書につづられていた内容は、まぎれもない事実だった。

日立金属が正式に不正を対外公表したのは2020年4月末のことだ。不正は安来にとどまらず日立金属の他の工場でも発覚し、約170の顧客企業向けの特殊鋼や磁性材料に及んでいた。その後に調査を拡大した結果、対象となる顧客は２０００社近くにのぼり、驚くべきことに検査データの改ざんは１９８０年代から続いていたことが発覚した。

「なぜ、こんなタイミングで……」

日立金属の幹部陣は一様に天を仰ぐ思いだっただろう。もちろん問題視されるべきは告発のタイミングではなく不正の内容そのものなのだが、内部通報者が知ってか知らずか、日立金属にとってはあまりに時期が悪かった。

この頃、親会社との間で目に見えない綱引きが繰り広げられていたからだ。

売られた「御三家」

日立製作所が大規模なグループ再編に乗り出すきっかけは２０１６年に導入したデジタル基盤の「ルマーダ」だ。２００８年に起きたリーマン・ショックで巨額赤字を計上し、もはや低迷が覆い隠せなくなっていた日立製作所にとっては、ルマーダを柱とするデジタル改革は生き残りに向けた待ったなしの改革といえた。

そのためにもリーマン・ショックの前には１２００社を超えていたグループ企業を再編する必要があった。選別の基準は明確だ。デジタル基盤のルマーダと親和性があるかないか。なければ売却の対象となる。たとえそれが１００年に及ぶ伝統を持つ日立グループを支え続けてきた「譜代の忠臣」であっても、である。

グループから切り出す対象は必然的にデジタルとの親和性が低い旧来型のものづくり企業となる。かつては「御三家」と言われた名門も例外ではない。いや、真っ先に対象として挙がったのが皮肉にもアナログ時代のものづくりを支えてきた御三家だった。化成、電線、そして金属の３社だ。

日立金属の長年にわたる不正を告発する投書が親会社の日立製作所に届いた時点で、御三家のひとつである日立化成の売却は決められていた。２０１８年に同じような検査不正が発覚していたことも売却を後押ししたとされる。


「次はうちかもしれない」

そう身構えていたのが、やはり御三家に名を連ねる日立金属だった。社長の佐藤光司を中心に長期計画の策定に着手したのが２０１９年のことだ。将来的に電気自動車（ＥＶ）向けなどに需要の拡大が見込める磁性材料を強化することを柱とする青写真を描いていた。

親会社の売却リストに載るかもしれないという佐藤の危惧は、すぐに現実味を帯びてくる。日立製作所が最高財務責任者（CFO）だった西山光秋を日立金属の会長兼CEOに送り込む人事を指示してきたのだ。

日立金属の社内でCEO職は社長が担うという暗黙のルールがあったが、日立本体は西山を会長とCEOの兼務にしろと言ってきた。ゴリ押しされた格好だ。

関係者によると指名委員会でもそれほど議論されることなく2020年1月末に淡々と西山の就任が決められたという。表向きは日立製作所との共同経営体制ということだったが、実質的に日立金属生え抜きの佐藤がCEOを「剝奪」され、西山がトップとなったのだ。

「売却というミッションを携えてきた人と歯車が合うはずなどないですよね」

当時、ある日立金属幹部は我々の取材に対し、こう証言した。

この直後に2020年3月期決算がまとまり始める。結果はリーマン・ショック以来、11年ぶりの赤字転落だった。売上高のほぼ半分を占めるようになっていた自動車向けが落ち込み、将来の成長事業と目した磁性材料の不振も響いた。

日立金属としては佐藤を中心に描いたばかりの成長軌道を世に示すという目算が狂い、親会社からの売却圧力は強まっていく。

そんなタイミングで親会社に届いたのが、不正を知らせる告発だったのだ。

西山のCEO就任が決まる9日前のことだ。結局、翌2021年に日立製作所は日立金属の売却を決めた。

後悔

親会社との間で暗闘を繰り広げていた絶妙のタイミングで、なぜそんな告発が届いたのか。告発者の意図は現時点でも分からない。言うまでもなく告発者の情報は厳重に守られなくては話にならないからだ。

だが、少なくとも佐藤も言い訳ができないことは承知していた。調査委員会の取り調べに対して、安来工場製品企画センターに勤務していた2008年の時点の会議で、不正を認識していたことを認めたからだ。

現在は独立してスタートアップを経営している佐藤に当時の経緯を問うと「初めて聞いた時はショックでした。（ずっと安来にいながら）ものづくりが変わってきていることに気づかなかった。気づいた頃には変えることができなかった」と振り返った。

佐藤の名誉のためにも追記しておくと、「変えることができなかった」と言いつつ、実は佐藤は不正を知ると、それを正そうと工場内で主張して是正への取り組みを進める中心人物だった。そのことは調査委員会も認めている。

だが、内々に済ませてしまったことが悔やまれる。安来工場長になってからも安来だけでは顧客に不正の事実を開示してよいかどうか判断できないと考え、世間に対して不正を隠したまま改善活動に取り組む方針を維持してしまったのだ。

「私も含めて、その時に声を上げる勇気があればあんなことにはならなかったと思います。もし、あの時に時間を遡れるなら……」

今も後悔は消えない。告発を受けた頃に日立金属社長となっていた佐藤は、不正の責任を取って会社を去った。

過信とおごり

ハガネの名門企業で起きた不正の原因はなんだったのだろうか――。その背景をひもとけば、近年日本の大企業で相次ぐ品質不正に共通する病根が見えてくる。

調査委員会がまとめた報告書にこんな一文がある。規定の検査ではなく現場で考案された検査方法が優先された事情について説明したくだりだ。

「その根底には、当社製品がスタンダードであるという意識があり、顧客よりも自分たちの方が製品をよく理解しているという意識があった。自社のものづくりの歴史と、それに伴う技術力の高さに対する自負、製品ブランドに対する高いプライドがあった」

つまり、顧客目線ではなく「過信やおごり」が誘因になったと指摘する。これは的を射た指摘と言わざるを得まい。

そんな過信やおごりが生まれる原点をたどると、行き着くのは「変態工場」の起源だろう。時計の針をかなり巻き戻す必要がある。

1964年に東京五輪が終わると、都心を中心としたインフラ関連の建設ラッシュが一段落した。その後の「いざなぎ景気」が止まると高度経済成長期は終わりを迎えた。1970年代には石油危機もあいまって鉄鋼業界は「鉄冷え」と呼ばれる冬の時代に突入した。

その頃、安来も生き残りをかけて「量から質へ」の転換を進めていた。そこで取り入れられたのが安来工場を構成する工場（こうば）による独立採算制だった。将来のメシの種を各こうばが責任を持って探す体制とすることで競争原理を働かせたのだ。

その結果、安来の屋台骨を担う製品が次々と誕生した。カミソリの刃を皮切りに1980年代には半導体など電子材料が大きく育ち、その後は自動車用部材が開花していく。

1980年代には半導体など電子材料が大きく成長した

こうば単位で生み出される事業はいずれも当初はニッチで赤字覚悟。その現場を支えた一人でもある佐藤も「安来は小さな仕事の集合体。『よくこんなに手間暇をかけてつくるよな』と思うような仕事が集まっていました」と振り返る。

こうば単位で繰り広げられる開発競争が生んだ小さな仕事の集合体は安来の強みとなった。だが、同時にそれは「過信とおごり」を生み、こうばごとの強い結束は不正を隠蔽するゆがんだ仲間意識の温床となる。こうなると遠く離れた東京の本社からは内部の実態が見えなくなる。

存続を問われる現場にのしかかるプレッシャー、それを克服した強いものづくりの現場の力、行き過ぎた仲間意識、本社と工場の間の深い溝、その結果として生まれた現場の過信とおごり――。

近年、次々と発覚する名門メーカーによる不正におしなべて共通する因子と言えるだろう。日産自動車、神戸製鋼所、三菱重工業、東レ、三菱電機、日野自動車、ダイハツ工業……。こうして列挙するだけでもキリがない。ハガネの古豪である日立金属もまた、その罠にはまってしまったのだ。

原点回帰

ただし落ちた名門から希望の灯が消えたわけではない。

安来工場が紡いできた「変態」の先に見えてきたのが、航空機ビジネスだ。

「冶金技術の頂《いただき》に位置するのが航空機。そこに挑戦する」

こう話すのが、安来工場を管轄する特殊鋼事業部長の毛利元栄だ。事務系ながら安来を振り出しにその技術力の高さを目撃してきた。

近年、安来には次々と新しい設備が取り入れられている。世界最長の6メートルものインゴット（鋼塊）を処理する真空溶解炉、1分間に47回も鉄をたたく1万トンプレス機、2017年から改良が加わった高速四面鍛造機――。そのいずれもが航空機のエンジン部

近年は航空機部品に力を入れている

材を造るためには不可欠だった。設備投資額は３つ合わせて２００億円に達した。

古代から受け継がれた「たたら製鉄」を源流に持つ安来工場だが、第2次大戦中には軍の指定工場となり、戦闘機のプロペラ部品を量産していた。

開戦直後に開発が始まった国産初のジェットエンジン「ネ20」の開発にも携わったとされる。ネ20は同盟国のドイツからもたらされるはずだった図面を乗せた潜水艦が撃沈され、撃沈前に下船していた軍人が持ち合わせたわずかな資料をもとに設計されたという逸話がある。その開発を支えたのがヤスキハガネだったという。

航空機ビジネスの育成は、いわば安来工場の原点回帰なのだ。

名門工場は過ちを乗り越えられるか――。その再出発は、すっかりかつての名声を失いつつある日本のものづくりの未来を占う挑戦とも言える。

安来には、そんな未来に挑むにあたって立ち返るべき物語がいくつも存在する。その代表例と言えるのが長年にわたって安来の屋台骨を担い続けてきた「替え刃材」という、実に地味な鋼だろう。そこには安来工場を育ててきた「ミスター・カミソリ」が残した、今につながる教えがあった。

「これでダメなら安来は終わる」

「材料をやっているといつの時代にも不安はあるものなんです。僕の頃もそうでした。でも、そういう時にこそチャンスの種は必ず存在する。それが転がっているのはいつもお客さんの『現場』なんですよ」

日立金属の社長や親会社だった日立製作所の取締役も歴任した本多義弘はこう話す。第一線を退いて10年以上がたつ。かつて「替え刃材の本多」と呼ばれ安来工場の礎を築いた人物だ。

本多が入社した1965年は、日本の特殊鋼業界にとって転機の年といえた。本多が安

本多義弘氏は安来工場の土台を作ってきた（1993年、安来工場長時代）

来の門をくぐる1カ月前に経営破綻したのが山陽特殊製鋼だった。１９６４年に東京五輪が開かれると建設ラッシュが一巡し、過剰投資が災いした。山崎豊子の小説『華麗なる一族』の題材としても知られる。

戦後にやって来た朝鮮特需と五輪景気が過ぎ、造れば売れる時代は過ぎ去った。日立金属の社内でも安来不要論が飛び交い、５８００人いた従業員は１４００人にまで減らされていた。給与の一部は現物支給となり、本多も最初に受け取ったボーナスは包丁だった。

いきなり窮地の現場に立たされた本多。だが、水面下で現在の安来につながる改革が始まっていた。景気に左右されやすい汎用鋼から、他社にマネできないとことん作り込んだ鋼材への転換だ。日立金属初代社長の中村隆一はこれを「質の量産」と呼んだ。

その第1弾となったのが替え刃材だった。カミソリの刃のことだ。帯鋼と呼ばれる薄い鋼材を加工したもので、鋭い切れ味を保つためには成分調整などで高度な技術が必要とな

「帯鋼」はカミソリの刃など様々なものに使われる

る。かつて多くの名刀を生み出した「たたら製鉄」を源流に持つ安来の職人たちにとっては腕の見せどころだ。

そんな新素材を開発したと思っていた矢先に、米国から急報が飛び込んできた。安来から出荷した替え刃材に不具合が見つかり、50トンもの替え刃材がボストンでそのまま廃棄されたという。

ここから帯鋼工場（こうば）で昼夜問わずの再開発が始まった。本多も鋼材の解析担当として加わった。ようやくできあがったサンプル材を出荷する際、こうばの幹部陣が集まり水杯を交わした。

「これでダメだったら安来は終わる」

本多はその時に目にした先輩たちの悲壮な表情が、今も忘れられないという。

合格の知らせがテレックスで届くと、こうばでは高級牛肉が振る舞われた。ただ、本多は疲労とストレスで胃を痛めていたため「味は覚えていないんですよ」と振り返る。駆け出しの技術者にまで極度のプレッシャーがかかるほど、安来は追い詰められていたのだ。

本多はそのまま替え刃材の担当となると、初代社長の中村が掲げる「質の量産」を求められた。単に高品質のニッチ市場を開拓するだけでなく一定の量も追うにはどうすればいいか――。本多がそのヒントを探ろうと歩き回ったのが「ふたつの現場」だった。ひとつは安来の現場。もう一つがお客の現場だ。特に次世代の商品を探ろうとしている顧客企業の開発現場だった。

最小公倍数の法則

工場に隣接する国鉄安来駅から夜行列車に乗り込み、飛行機で世界中を回る生活が始まった。顧客の現場で見聞きしたことを、本多は「お客さんノート」と呼ぶ手帳にまとめていった。ただし、単なる御用聞きでは「質の量産」にはたどり着けない。

本多が考案したのが「最小公倍数の公式」だった。

お客の現場から声を拾い集め、最小公倍数となるニーズをあぶり出す。今ならパソコンで簡単にできるが、当時はびっしりと書き記したノートの大量の言葉から、どの顧客にも通用する最小のニーズを見つけていった。それを帯鋼に反映できれば、質を担保しつつ量産につなげることができると考えたのだ。

もっとも、本多は最小公倍数の発見だけでは不十分とも言う。それを鋼材に落とし込み、他社の追随を振り切るためにはお客が提示するスペックにとどまっていてはダメだ。

本多が鋼材やお客ごとに自作したのが「実力値」と呼ぶ数表だった。常にスペック値の上限を狙い、それを上回るように「こうば」の技術陣とともに作り込んでいく。

顧客に共通するニーズを見つけ、その上限の実力値を定義し、徐々に高めていく——。これが本多が考案した最小公倍数の公式だった。

現安来工場長の岸上一郎は、駆け出し時代に見た本多の姿をよく覚えているという。当時の本多は帯鋼のこうば長だった。本多が視察から帰ると、決まって火曜にこうば2階の部屋に幹部陣が集められる。そこで実力値の帯鋼をどう作り上げるか、延々と議論が始まる。会議が火曜なのは、月曜に本多が自らハラ落ちするまで考え抜くからだろう。

こうして替え刃材でカミソリ世界最大手のジレットへの納入に続いて英ウィルキンソンや米シックへの大量供給をもたらした手法を、本多は安来の各こうばに、そして日立金属へと広げていった。それは特殊鋼メーカーの枠を超える会社への変革へとつながっていく。

カミソリの刃に使う替え刃材を突破口に、安来工場は次々と「質の量産」を広げていった。そんな日立金属が他の特殊鋼メーカーと差別化する上で頼りとなったのが親会社である日立製作所だった。

希望の光は足もとに

「この〝足〟を造れませんか」

帯鋼現場の技師となっていた本多は、日立金属の社内で「製作所」と呼ばれる親会社の中央研究所（東京都国分寺市）で見せられた部品に見入った。

「このゲジゲジの足みたいなのを？　帯鋼で、ですか」

それは米インテルが開発した最先端半導体で、シャープが電卓にも採用したという。チップを回路とつなぐ「足」の素材は熱膨張を抑えるためコバルトが使われていたが、産地のコンゴが政情不安のためニッケルで置き換えられないかという。

こうして1980年に量産化に向けた研究を始めたのが半導体の足にあたるリードフレーム材だった。

1980年代は日立をはじめ日本のエレクトロニクス産業が世界を席巻した時期と重なる。本多は島根県の安来工場から遠く関東一帯に点在する日立グループの研究所に足しげく通い始めた。日立グループの地の利を生かして「電子材料の安来」の地位を築いていったのだ。

ところが2000年代に入り本多が日立金属の社長に就く頃になると、徐々にその地の利が失われていった。製作所は半導体部門の不振が響いて2002年3月期に赤字に転落した。一時は家電の希望と目された液晶テレビでも韓国勢との激しい価格競争に追いやられていく。

「もうお先真っ暗ですよ……」

電子材料部門の幹部がつぶやいた時、本多は何も言い返せなかったという。

ただ、光明がないわけではなかった。話は再び時代を遡り1986年。新入社員の舛形芳樹が安来の磨鋼工場《みがきこうこうば》に配属されると、周囲は哀れむような視線を送ったという。安来工場の内部に分かれる「こうば」群。カミソリの替え刃材に続き電子材料で花形となっていた帯鋼と比べると、磨鋼の扱いは明らかに格下だった。同じ安来工場にありながらかつては別会社として切り出されたこともあった。舛形は当時の様子について、「設備投資も後回しにされがちで、なんとなく劣等感がありました」と振り返る。

その磨鋼が育てたのが自動車エンジン部品のピストンリング材料だった。見た目は太さ数ミリの細い輪にしか見えないが、その断面は千差万別だ。そこまで加工していく際に数ミクロン単位の傷さえ許されない。

「作っては折れる」を繰り返し、徐々に完成度を高めていった。舛形は「昼夜を問わずにこうばを歩き回って工程に潜む欠陥をしらみつぶしにしていきました。泥臭いやり方ですよ」と話す。先輩のミスター・カミソリが実践したように、納入先となるリングメーカーの現場にも通い詰めた。

かつての格下現場が切り開いた自動車部品には2000年代に入ると無段変速機のベルト材や磁石などが加わり、日立金属の新たな屋台骨となっていった。

「安来ではどの製品も赤字からスタートする。〝なにくそ〟で続けて苦節10年。どれもそうやって育ててきたんです」

ピストンリング材が開花する直前の磨鋼の現場からキャリアをスタートさせた毛利元栄はこう語る。当時、磨鋼で「一番手間がかかった」というのが、次世代の主力に育ちつつある航空機向けの鍛造部品だった。そこに光明が開けつつあることは前述した通りだ。

希望の光は常に安来の現場の足もとに落ちている。この古びた工場で働く者に受け継がれてきた教えだ。問題は、それをどう拾い上げて形にするかだ。そのための知恵や技術もまた、安来の「こうば」の屋根の下に存在しているはずだ。

かつて「ヤスキハガネ」の名を轟かせた伝統ある安来工場。その安来を中核とし長く「日立の御三家」と呼ばれてきた日立金属は、この国の産業盛衰の波にもまれ、巨大グループから切り離された。社員の誰もが愛着を持ってきた社名も捨てざるを得なかった。コンサルタント会社が中心になって提案したという「プロテリアル」というカタカナの社名になじめないという社員がいまだ大半だろう。

近年では検査不正という大失態を犯していたことも白日の下にさらされた。そこに言い訳の余地はない。

それでも、ものづくりの現場はなくならない。社会から必要とされる限り。受け継がれた知恵を継承し、姿を変えて進化させながら――。

「ハガネの変態工場」は、またここから這い上がらなければならない。

第 6 章

ホンダ・和光研究所①

——「異質であれ」、F1の救世主が紡いだ哲学

登場人物

本田宗一郎 …… 15歳で自動車修理の見習いから身を立てる。戦前に起こした会社をトヨタ自動車に売却して1948年「本田技研工業」を創業。

藤沢武夫 …… 本田宗一郎から請われて1949年に入社。実質的にホンダの経営を担う。

川本信彦 …… 4代目ホンダ社長(1990~98年)。本田技術研究所社長時代にジェット機や自動運転、ヒト型ロボット、燃料電池車を生み出す「基礎研究所」を設立する。

吉野浩行 …… 5代目ホンダ社長(1998~2003年)。元ジェットエンジン技術者。

浅木泰昭 …… エンジン技術者。軽自動車「N—BOX」の初代開発リーダー。後に低迷していたF1を復活に導く。

大津啓司 …… エンジン技術者。2021年から本田技術研究所社長。

三部敏宏 …… エンジン技術者。本田技術研究所社長を経て2021年からホンダ社長。「脱エンジン」を宣言する。

四竈真人《しかままひと》 …… 2015年に自動運転車開発の初代リーダーに起用される。

水野泰秀 …… ソニー・ホンダモビリティ初代CEO。ホンダで海外営業畑を歩む。

東弘英 …… 航空機エンジニア。新明和工業から2000年にホンダ入社。ホンダジェットの開発に携わった後に、「空飛ぶクルマ」の開発リーダーに。

川辺俊 …… 航空機エンジニア。1987年から航空機開発に携わる。その後、量産車部門などを経てフェローとして空飛ぶクルマの実現に奔走する。

水谷彰宏……航空機エンジニア。ホンダから一度、IHIなどに転じるが空飛ぶクルマの開発チームに加わるためホンダに再入社する。

輪嶋善彦……「材料屋」として長くジェットエンジンの開発に携わる。

吉池孝英……1998年の入社以来、一貫してロボットの開発に携わる。

森庸太朗……元ホンダの二輪車エンジニア。ホンダの制度を使い「ストリーモ」を起業。

橋本英梨加……住友商事や米ベンチャーキャピタルを経てストリーモCOOに。

中原大輔……不動産会社からホンダに転じる。ホンダの起業支援制度の設立・運営に携わる。

ホンダは独特の研究開発体制を確立してきた

1948年	本田宗一郎が静岡県浜松市で創業
1960年	右腕の藤沢武夫の発案で和光研究所を分離独立させて「本田技術研究所」を設立
1963年	四輪車に参入
1964年	F1に初参戦
1986年	和光に極秘研究組織の「基礎研究所」を設置。ジェット機やロボット、自動運転車の開発が始まる。
2013年	米GMと提携。「独立独歩」のスタンスが変わり始める。
2019~20年	二輪・四輪とも量産車の開発をホンダ本体に移管。「本田技術研究所」は次世代技術に特化。
2021年	2040年までの「脱エンジン」を宣言

自動車産業は今も昔もこの国の経済を支えてきた。そんな基幹産業にホンダが最後発組として参入してから60年になる。還暦を迎えた「自動車のホンダ」はどこを目指して走るのか。100年に一度の大変革の時代をどう乗り越えようとしているのか。ものづくりの未来を託されたホンダの研究所に迫る。

「ホンダの救世主」が伝えたかった教え

2023年4月末、ひとりのエンジニアがひっそりとホンダを去った。浅木泰昭。時に「ホンダの救世主」と呼ばれるのは、浅木が「エンジン屋」として、ホンダが直面した数々の危機からの脱却に深く関わってきたからだ。

バブル崩壊後の経営危機からホンダを救ったミニバン「オデッセイ」の開発に携わり、社内で風前のともしびとなっていた軽自動車の再建ではリーダーとして成功に導いた。

そして連戦連敗のどん底に沈んでいたF1の復活。2021年シーズンを最後にF1から撤退してからも、浅木は水面下で「クモの糸作戦」と称して再参入を探っていた。今にも途切れそうな糸がつながったのは、皮肉にも浅木が会社を去った直後のことだった。5月、ホンダはF1への再参戦を決めた。

浅木泰昭氏(左端)はホンダをF1復活へと導いた

キャリアの最後にF1のバトンを後輩たちにつないだ「救世主」は、彼らに何を残そうとしたのか。浅木の言葉を記そう。

「つまらないクルマしかつくれないようなら、ホンダなんて消えてなくなればいい。異質であること。それこそがホンダの存在意義なんだと、僕は思うんですよ」

「異質であれ」――。それはつまり、サラリーマン集団であるホンダがF1に取り組む意味だという。創業者の本田宗一郎がこだわり続けたオンリーワンの精神は、カリスマなき後にホンダの門をくぐった浅木らにも確実に受け継がれていた。

浅木が残したかったのは、そんな時代を生き抜いた技術者たちの矜持《きょうじ》なのだろう。その歩みを追えば、名もなきエンジニアたちがものづく

F1はホンダの象徴と目されてきた(2015年)

りの未来を紡いできた系譜が浮かび上がる。

浅木がホンダに入社したのは1981年のことだ。エンジンの信頼性テストグループに配属された浅木はすぐにF1のチームに志願する。ちょうど第2期と呼ばれる2度目のF1参戦を、ホンダが決めた頃のことだ。

入社2年目の駆け出しエンジニアだったが、自動車技術の最高峰の舞台で世界を相手に戦うことになる。当初は苦戦が続いたホンダだが、参戦2年目に米ダラスの市街地コースで勝利を収めた。ここからホンダのF1チームにとって栄光として語り継がれる1980年代の黄金期が始まった。

若くして世界の頂点を見た経験が、浅木のエンジニア人生の糧となる。

「BMWにもフェラーリにも勝って世界一にな

った。その経験があるから『やってできないはずがない』と思える。その後も、僕はそうやって技術屋人生を歩んできました」

それは浅木だけではなかった。浅木が技術者として最も影響を受けたという当時の現場リーダーの姿がそれを物語っていた。仕事が終わると毎日のように近くの焼鳥屋に連れ出され、エンジニア談義が延々と続いた。

「周りを巻き込んで自分が作りたいモノを作れるようになれ」

「俺たちは勝つためにやってるんだ」

思えば、その教えを守り続けた技術屋人生だった。F1でも、その対極にあるように見える地味な軽自動車の開発でも。

ヒントは『吾輩は猫である』に

浅木が新入社員時代に配属された和光研究所（埼玉県和光市）には、独特な空気が漂っていた。窓がない部屋の緑色の床にコンピューターや実験器具が並ぶ。技術者は上下とも純白の作業服。ひとりだけアロハシャツを着ているのは引退後も足しげく和光に通う宗一郎だった。後進たちの話に喜々として聞き入り、時に無理難題をふっかける。「オヤジさ

本田技術研究所として和光研究所を分離独立させた（1960年）

んとの真剣勝負」がホンダを強くしていったのだ。

そんな研究所の原点は、宗一郎の右腕であり黎明期のホンダの経営を舵取りした藤沢武夫のアイデアだった。自分たち創業世代が去ってもホンダが輝き続けるためにはどうすればいいか――。本社から一人離れて内装が真っ黒の書斎で思考を巡らせた藤沢が行き着いたのが、和光の分離というアイデアだった。

和光を「本田技術研究所」として分離独立させたのが１９６０年。まだホンダが自動車に参入する以前の、二輪車メーカーの時代のことだ。

研究所独立のヒントとなったのは、夏目漱石の代表作『吾輩は猫である』に登場する水島寒月という風変わりな学者だ。夏目漱石の薫陶を受けた物理学者で文筆家の寺田寅彦がモデルとも言われる。

作中の水島博士はカエルの目玉の電動作用を調べ

るためにガラス玉を磨く毎日を過ごしていた。ホンダの未来をつくるためには、そんな「変人」たちをじっくりと育てる空間が必要だと、宗一郎の右腕は考えた。

「他人のまねなんて冗談じゃねぇ。そう言ってはばからない非常識な人たちの集まりでした」

当時の和光に漂う空気感について、浅木もこう証言する。駆け出しの頃に見たのが、まさに創業世代の意志を体現した「変人集団」だった。そこに身を置き世界のトップを争い日々しのぎを削る。充実した日々だったが80年代半ばになるとホンダは北米を中心に世界に戦線を拡大する。

すると、浅木にもエンジン屋として転機がやってきた。量産車の開発部門への異動を命じられたのだ。和光を離れ、量産車の開発を担当する栃木研究所（栃木県芳賀町）に移ることになった。浅木は「ガッカリこなかったと言えば嘘になりますね」と振り返るが、まだ20代と若かったこともあり、すぐにこう考えて気を取り直した。

「どうせやるなら馬力では絶対に負けない」

命令違反

しばらくして始まったのがミニバンの開発だった。当時はRV（レクリエーショナル・ビークル）と呼ばれた多人数乗りのクルマが米国で求められるようになっていた。ただ、小型車に強みを持つホンダには問題があった。本格的なRVを造ろうとすれば、既存のラインでは対応できず新工場が必要になる。

だが、当時は日本でバブルが崩壊し、底の見えない不況が経済全体を覆い始めていた。ホンダの業績もみるみる悪化していた。

社内では新工場を建設するリスクが大きすぎると一度は中止が宣告されたが、当時の開発リーダーが中止命令に背いて中型セダンの「アコード」をベースにして、日本の狭山工場（当時、埼玉県狭山市）で量産するアイデアをひねりだした。

コードネームは「PJ」。他社のミニバンとはひと味違うパーソナル・ジェットをイメージしたスポーティーなデザインを考案したのだが、現実的には既存のクルマをベースにするためデザインに制約があった。工場設備の制約を逆手に取る逆転の発想で生まれたのが、この「異質なるミニバン」だった。

この初代「オデッセイ」が大ヒットとなる。

ここまでのオデッセイの誕生秘話は業界内ではよく知られた話だが、もうひとつの命令違反があったことは余り知られていない。

「犯人」は浅木だ。オデッセイはアコードをベースとするためエンジンもV型6気筒を転用する想定だったが、V6担当の浅木が独断でよりコンパクトな直列4気筒エンジンを利用しようと画策したのだ。

もちろんオデッセイの開発チーム内で情報は共有されていたが、全社的な了解を取り付けていたわけではなかった。浅木は「だますつもりはなかったけど、勝手にやっていました」と言う。

この当時、浅木は上司とともに東京ディズニーランドに視察にでかける機会があった。駐車場でファミリー層が乗るクルマを調べることが目的だ。その際、浅木は上司にこうつぶやいた。

「エンジンにカネをかけるくらいならカップホルダーを増やしたほうがいいでしょ」

「馬力では絶対に負けない」と豪語する元F1のエンジン屋とは思えない言葉だ。後に浅木にその意図を聞くと「やっぱり車になってナンボ。エンジンなんてただの部品ですから」と返ってきた。F1で戦ってきたプライドをエンジンではなく「異質なるミニバン」にぶつけたのだ。オデッセイには後にV6も追加されたが、直列4気筒でスタートした。

このミニバンがバブル崩壊後に経営危機に陥っていたホンダを救う。初代オデッセイの発売は1994年10月。この頃、経済界で噂されていたのが、メインバンクが同じ三菱自動車によるホンダの救済合併説だった。そんな不安をたった一台のミニバンが消し去ってしまった。

こうして量産車部門でホンダの復活に貢献した浅木だが、胸中には秘めた思いがあった。

「もう二度とF1に戻ることはない。テレビ中継も見ないようにしていました」

「異質な軽自動車」をつくれ

そんな浅木に思いもしない任務が舞い込んだのが、それから10年以上後のことだ。

「こんな車を作って欲しいんだ」

そう言う上司が手にしていたのは、ダイハツ工業の軽自動車「タント」のスケッチだった。

当時のホンダの軽はまったく存在感がなく、社内では半ば公然と撤退論がささやかれていた。浅木も「軽のことなんて考えたこともなかった」という。この年、浅木は50歳になる。若手の頃には花形のF1で世界一を経験し、中堅になるとホンダを救った名車・オデッセイの大ヒットに深く関わった。そんな実績のある浅木がベテランの域になって、なぜ

「場末」の軽自動車なのか。

「軽をやれと？　なんで俺が……」

喉元まで出かかったセリフを、浅木はぐっとのみ込んだ。当時のホンダが置かれた状況を考えればそんなことも言っていられないからだ。

この頃、２００８年のリーマン・ショックに続く円高が、ホンダの国内工場を追い詰めていた。Ｆ１はその現場に戻るどころか、一時撤退に追い込まれていた。

そして浅木に「こんな車を作って欲しい」と言う上司は、あのディズニーランドの駐車場で浅木が「エンジンよりカップホルダー」を説いた相手だった。

なぜ自分が指名されるのかはなんとなく理解できる。ここは過去の栄光を捨てて思考回路を切り替える時だ。

かつてのＦ１エンジニアは軽自動車の開発を引き受けた。どうせ作るなら、それはダイハツの二番煎じではない。これまでにない「異質なる軽自動車」であるべきだ。

温泉宿などに集まって膝詰めで話し合うホンダ伝統のワイガヤを繰り返すうちに、新しい軽自動車のイメージが浮かび上がってきた。それが「25インチタイヤの自転車を載せられる軽」だ。

そんな軽自動車は世の中には存在しない。存在しないからこそ他社の後追いではなくなる。軽自動車を使う頻度が高い主婦に喜ばれそうなニーズを突き詰めたアイデアだった。

コンセプトは決まった。車の基本設計の限界値と照らし合わせてはじき出したのが「7センチのゆとり」だった。これまでの限界より7センチだけアクセルペダルを前に出して室内空間を捻出するのだ。

7センチを巡る攻防についての詳細は割愛するが、浅木に言わせれば厳しい制約の中で性能を競うのはF1も軽も同じ。F1でたたき込まれた限界に挑み「異質であれ」を追求するものづくりの哲学を、まったく性質が違うはずの軽自動車で再現したのだ。

こうして2011年末に生まれた「N－BOX」は瞬く間に国内トップセールスを記録した。浅木はメディアで頻繁に「F1から来た軽自動車の開発者」として紹介されたが、より重要なのは浅木のもとにホンダが誇るエンジン屋たちが集まり始めていたことだろう。次の時代のホンダを動かしていく主役たちだ。

ホンダの救世主とともに走り、学んだエンジン屋たち。彼らが決めたのが「脱エンジン」という驚きの大方針だった。

そしてN－BOXの成功を見届けた浅木には、次なるミッションが与えられる。打診したのは三部敏宏だ。浅木の後輩エンジン屋で、後にホンダ社長として「脱エンジン」を宣言した張本人だ。三部は浅木に告げた。

「F1の立て直しに研究所の総力を結集させます。浅木さんにやってもらいたい」

面食らった浅木は、思わず「やだよ」と返した。だが、すぐに思い直す。当時のF1チームは完走もままならない惨状だった。

「負け続けたままだと、ホンダの技術者はどうなっちまう……」

浅木は、二度と足を踏み入れることはあるまいと誓ったグランプリの世界に戻ることを決めた。

「周りを巻き込んで自分が作りたいモノを作れるようになれ」

「俺たちは勝つためにやってるんだ」

駆け出しの頃に焼鳥屋で聞いた教えがよみがえる。浅木が定年退職を迎える半年前のことだった。

ここでF1の最前線に舞い戻った浅木の奮戦を描く前に、脱エンジンを決めた浅木の仲間たちの物語について触れたい。時計の針を少し巻き戻す。

浅木の直接指導

「本当にこんなクルマが売れるのかよ……」

1995年、技術者としてホンダに入社し、狭山工場に研修生として派遣された武石伊久雄はラインを流れていくクルマを見て、内心で毒づいた。

「なんか、俺が求めていたホンダとはちょっと違うなぁ」

武石が狭山工場で見たのは、バブル崩壊後の危機からホンダを救った初代オデッセイだった。「ちょっとデカい普通のクルマ」としか思わなかったそのミニバンは、武石が栃木研究所に配属される頃にはベストセラーの仲間入りを果たしていた。

武石が配属されたのはV6エンジンの開発部門の中でも、吸気系と呼ばれるエンジンに空気を送り込む配管などの設計部門だった。

エンジンといえばホンダの花形だが、その中では吸気系は傍流と言える。新人時代は試作品を台車に載せて実験部門などとの間を行ったり来たりする「運び屋」としてもこき使われたものだ。たまに他社に就職した大学時代の研究仲間と会って近況を聞けば、「俺は何をやってるんだか」と思わずにはいられない。

そんな武石がようやくＣＡＤを走らせるコンピューターの前で設計を任されるようになった頃のことだ。

昼休みが終わると決まって武石の席の後ろにふらりと現れる中堅エンジニアがいた。聞けば、武石が「こんなの売れるのかよ」と疑った初代オデッセイでエンジン開発を担当していたのだという。それが浅木だった。

「今日はどうだ。ちょっとは進んだか？」

そう言って声をかけてくる浅木に、武石が通気経路の断面図を見せると、浅木はじっとにらみ付ける。

「もっとまっすぐに通せんのか」

そう言って武石に宿題を与え、次の日も同じように昼過ぎに席の後ろに立つ。こうして生まれたのが最高出力３００馬力のハイパワーエンジンだった。「馬力では絶対に負けない」は、元Ｆ１エンジニアである浅木の信念だった。

「浅木さんは言葉じゃない。行動が刺さるんです。絶対に他社がマネできないところまでやるんだ、と」

浅木のことを今でも師と仰ぐのは、妥協を許さない姿勢を、自ら追い詰められながら教え込まれた経験があるからだ。後に浅木が軽自動車の開発を命じられると、武石もエンジンの責任者に起用され「N－BOX」の誕生に貢献した。武石は今ではホンダの先進パワーユニット開発全般の重責を担う。

ホンダを育てたエンジン屋の攻防

エンジンはいつの時代もホンダの象徴だった。本田宗一郎が戦後に湯たんぽを燃料タンクにして、旧陸軍の無線機発電用エンジンを改良したものを自転車に取り付けて作った「バタバタ」と呼ばれた二輪車が原点だ。

そこから、不可能と言われた環境規制を世界で初めて達成した低公害エンジン「CVCC」や可変バルブタイミング機構の「VTEC」など、数々の名機を世に送り出して世界的な自動車メーカーにのし上がっていった。

現在も汎用機も含めればざっと年間3000万台を生産する世界最大のエンジンメーカーというのが、ホンダという会社のもうひとつの顔だ。

そんなホンダに佐賀県の高校を出てすぐに飛び込んだのが大津啓司だ。1983年の入

ホンダは「バタバタ」と呼ばれた二輪車で創業した

社になる。２０２１年からはホンダの技術陣を束ねる子会社「本田技術研究所」の社長で、ホンダ本体の執行役常務も兼ねる。大津はエンジン本体の設計部門に配属され、エンジンづくりの原理原則を独学で学んでいったという。

「エンジンって１４０年もたっているのにいまだに分からないことが多い。教科書には書いていない。だから悩む。答えは自分で探すしかない。僕もそういう考えが染みついてしまったんですよ」

　１８８６年にドイツでゴットリープ・ダイムラーとカール・ベンツがそれぞれ自動車用エンジンの開発に成功してから、すでに１４０年近くがたつ。その熱効率はようやく40%を超えたにすぎない。今でも未知なるフロンティアが広大に広がっているのがエンジンの世界だ。その魅力に、大津はとりつかれたのだという。

「なぜうまくいかないのかを一生懸命に考え抜いて原因を探す。階段はひとつずつしか上がれない。だけど、結果的にそれが近道になる。そうやって、ずっと図面を描いていました」

創業者の本田宗一郎が引退した10年後にホンダに入社した大津は、当時の流行語で言えば「新人類」だったのだろう。ホンダには宗一郎が残した「成功とは99％の失敗に支えられた1％である」という哲学がある。「まずはやってみよ」の文化が進取の精神を育んできたとも言われるが、大津は「もう、それじゃダメですよ」と喝破する。

「間違えないために最初からロジックを積み上げていく。そのために原理原則を学んで考え抜くんです」

ただし、先人たちに受け継がれたホンダの流儀を完全否定するわけでもない。

「若い頃によく聞きましたよ。『オヤジさんにスパナで殴られてさぁ』、とか」

とにかく短気ですぐに手が出たという宗一郎。古株たちは「オヤジさんが目深に帽子をかぶっているのは機嫌が悪い証拠だから気をつけろよ」と警戒しあったものだという。

「それって昔で言う教育、今で言うパワハラ（笑）。でもそれは、本気でやりたいことに向かうから本気で怒るということですよね。そういうのは若かった僕にも伝わってきました」

宗一郎も理想のエンジンを追い求める生涯を送った。そのためには現場で怒鳴り散らすことも日常茶飯事だった。そして最後には現場と意見が対立し、自ら社長の座を退いた。エンジンの冷却方法を巡り、「空冷」を主張する宗一郎に反して「水冷」のエンジンを貫いた技術者たちが創り出したのが、ホンダを世界的なメーカーに押し上げた低公害エンジン「CVCC」だった。そこにあったのは、社内の地位を度外視したエンジニア同士の本気のぶつかり合いだった。

それぞれの方法論で、脈々と受け継がれてきたホンダの魂とも言えるエンジン作りの流儀。それが今、創業以来の転換点を迎えている。

「ホンダの武器はエンジンではなくエンジニア」

2021年4月、ホンダの新社長に就任した三部敏宏が突如として「脱エンジン」を宣言した。2040年までにすべての新車を電気自動車（EV）か燃料電池車にするという。三部もまた、大津や武石と同じく研究所で「エンジン屋」としてキャリアを重ねてきた男だ。エンジン屋たちがエンジンを捨てる決断を下したのだ。三部はこう語る。

「私が（エンジニアとして）現役だったころには研究所では『2階に上げてハシゴを外してさらに火を付ける』という言葉があった。燃え尽きるほどスピードにこだわる。やるしかないだろう、と。変化の第一歩というのはそういうものなんです」

いずれ来るカーボンニュートラルの時代を見据える今が、そのタイミングだというのだ。そして三部は「ホンダの武器はエンジンではなくエンジニア。対象が少し変わるだけ」と豪語する。

三部が大津の前任にあたる研究所社長だった頃に始まったという脱エンジンの議論。高校を出てからエンジンと向き合い続けてきた大津は、ホンダの門をたたいた40年前にはこんな日が来るとは思いもしなかったという。ただし、ノスタルジーに浸る余裕はない。

「社会が変わっているのだから仕方がない。エンジンにしがみついた結果、電動化をやれていませんでしたという未来が訪れるのはすごく怖い。だから、やる。僕たちが持っていない技術をやらないといけない」

常に未来から逆算していずれ必要になる技術を創り上げていくことは、大津に言わせればエンジンの未来を作ってきたホンダの研究所の流儀そのものだ。

一方の「吸気屋」の武石には、脱エンジンの時代を予感させる経験があったという。2018年に駐在した米カリフォルニア州で米テスラのEV「モデル3」のハンドルを握った時のことだ。

「これはあまり言いたくないけど……、初めてスマホを持った時の『色々なことができそうだな』という感覚を、あのクルマに感じてしまったんです」

時代はEVとテクノロジーが融合する世界の入り口に立っていることを痛感させられたのだという。

エンジンの世紀と決別することを決めたホンダのエンジン屋たち。だが、その前にやるべきことがあった。エンジン技術の頂点であるF1で、もう一度栄冠をつかみ取る。

そのためにはホンダの総力を結集させた最高のエンジンが必要になる。白羽の矢が立ったのがエンジン屋として歩み続け、「ホンダの救世主」と呼ばれた浅木だった。

一通のメール

少し前のシーンに戻ろう――。

「F1の立て直しに研究所の総力を結集させます。浅木さんにやってもらいたい」

浅木が三部から唐突にこう告げられたのは2017年半ばのことだ。二人はV6エンジンの開発で苦楽をともにした仲だ。浅木が先輩にあたる。後にホンダ社長になる三部はこの当時、「本田技術研究所」の役員で四輪車部門のトップだった。

「やだよ」

浅木はぶっきらぼうに返したが、ここで一通のメールが頭をよぎった。

その年の春に浅木が率いていた軽自動車の開発チームから一人の部下がF1チームに引き抜かれた。当時のホンダのF1チームは長い歴史の中でもどん底にいた。リーマン・ショックの後に一時撤退したが、2015年から盟友の英マクラーレンと組んでパワーユニット担当として4度目となる参戦を決めた。そこまではよかった。だが、いざレースが始まると連戦連敗。一度も表彰台に上がれないままマクラーレンとの関係が瓦解していた。

「お前が行っても砂漠に水をまくようなもんだぞ。さっさと帰ってこいよ」

送別会で浅木はこんな言葉をかけていたのだが、しばらくするとその部下からメールが返ってきた。

「申し訳ないですが帰れません」

想像以上に混乱したＦ１開発の現場を目の当たりにして自分だけ量産車部門に戻るわけにはいかないと言うのだ。

思えば自分も駆け出しの頃に志願してＦ１チームに異動し、最高峰の舞台で戦う現場で鍛えられた。その自信が後のエンジニア人生を支えてくれた。

「異質であること」が浅木が考えるホンダの存在意義だ。その熱源がなにもＦ１だけではないことは理解している。

ただ、Ｆ１で世界をつかんだ経験がエンジニアを育て、他社に負けるわけにはいかないという気概で量産車の開発にも取り組んできた。そのサイクルがホンダを強くしてきた。自らがＦ１から外れた後にミニバンや軽自動車で示してきたように。

だからこそ、思い直した。

「このまま、負けたままで終わらせるわけにはいかない」

浅木は約30年ぶりのＦ１復帰を決めた。半年後に迫っていた定年退職はしばらく延長することにした。

ジェットエンジン部隊の助け舟

まずは負ける理由を理解しようとしたが「実は全く分からなかった。他のチームがズルをしているんじゃないかとさえ思った」という。ホンダのレース向けエンジンの開発を担う「Ｓａｋｕｒａ」(栃木県さくら市)のスタッフたちとも、どうも話がかみ合わない。

次第にマイカーでＳａｋｕｒａに出勤するたびに決まって腹痛に悩まされ始めた。「ストレスでしょうね。毎朝、コンビニに立ち寄って体調を整えてから出勤していました」と振り返る。

ただ、最大の問題に関しては、すでに対策が進みつつあった。浅木が三部からＦ１復帰を打診される少し前のことだ。

本田技術研究所の幹部を集めて開かれたＦ１ステアリングコミッティー。当時研究所社長だった松本宜之の陣頭指揮のもと、四輪車の責任者である三部や、Ｓａｋｕｒａを管轄するレース子会社トップの大津啓司らが掲げたのが「研究所の総力を挙げてＦ１を立て直す」という大方針だった。

喫緊の課題は誰の目にも明らかだった。レースで走るたびに壊れる部品があった。エンジンからの排熱を電気エネルギーに変換して出力を高める「ＭＧＵ－Ｈ」という部品だ。「エンジン屋」の大津が打開策を求めたのは、意外な人物だった。航空機に載せるジェットエンジンの開発陣を率いる輪嶋善彦だ。

大津から渡されたＭＧＵ－Ｈの図面を持ち帰り、和光研究所に陣取るジェットエンジンの研究者たちと議論を始めると、すぐにこんな声が上がった。

「軸の支持構造がおかしい。これじゃ、壊れて当然ですよ」

輪嶋はすぐに対策チームを結成した。リーダーに起用したのは先輩にあたる野田悦生だった。１９８６年にホンダが極秘裏にジェットエンジンの研究に着手した頃からの最古参で、現在もホンダジェットに載るエンジン「ＨＦ１２０」の開発責任者を務めた。つまり、ホンダのジェットエンジンのすべてを知る男だ。

輪嶋の狙いは、Ｆ１を通じて野田に技術者の育成を託すことにあった。実際、「（若手を）指導してください」と依頼したという。一方の浅木もＳａｋｕｒａの技術者たちを説得して野田たちジェットエンジン部隊の知恵を取り入れていく。ＭＧＵ－Ｈだけでなくターボチャージャーの空力設計などにもその技術を採用した。

もうひとつの課題だった馬力不足に関しても、２０１８年から「超高速燃焼」と呼ぶ技術を導入するなどして課題をひとつずつつぶしていった。

こうして徐々に成績を上げていくと、ホンダはマクラーレンとの決別後に意中の相手だったレッドブルと手を握ることになる。

「技術者の意地を見せろ」

その最初のシーズンである2019年シーズンの第9戦。6月に行われたオーストリアでのグランプリ決勝でついに13年ぶりの優勝を果たした。浅木は「うれしいというよりホッとしましたよ」と振り返る。結局、その年は3勝、続く20年は2勝を挙げた。

浅木の指揮のもとで結果を残し始めたホンダのF1チーム。ようやく坂道を上り始める手応えを感じていた時に、非情な宣告が下された。2020年9月末のことだ。

Sakuraと東京・青山の本社をつなぐオンライン会議で、浅木は翌2021年シーズン限りにF1から撤退すると告げられたのだ。

通告したのは浅木にF1復帰を打診した三部だった。当時は本田技術研究所の社長。「これからホンダはカーボンニュートラルに全力で取り組まなければならない」というのが理由だった。

実はこの時から半年後にホンダ本体の新社長に就任した三部が「2040年までに脱エンジン」を宣言する。すでに方針は固まっていたのだが、浅木は知るよしもない。いずれにせよ、現場をあずかる浅木としては納得できないものの、上層部の決定を受け入れるしかなかった。

「チームになんと言っていいのか……」

浅木の自問自答が始まる。

「俺がＦ１に来なければ、もっと早くに部下を解放してあげられたんじゃないか。エンジニアとして脂が乗った数年間を無駄に使わせてしまったんじゃないか。こんな結果になることが分かっているんだったら……」

10月初め、その時が来た。

Ｓａｋｕｒａに集まったエンジニアたちを前に、三部が撤退を告げた。おおよそ事前に浅木に説明したのと同じ趣旨だった。三部のスピーチが終わると、浅木が全員の前に立った。

「みんな、聞いた通りだ。残念ながら撤退が決まってしまった」

言葉に力を込めたのはここからだった。

「でも、我々には1年間の猶予が与えられた。ここから何をすべきか。最後の1年で技術者の意地を見せるんだ」

その時、映画のワンシーンのように歓声が上がったわけでも、割れんばかりの拍手が響いたわけでもない。部屋は静まり返ったままだった。だが、浅木は目の前に並ぶエンジニアたちの目の色が変わった気がしたという。

どうせやるなら最後にホンダのすべてをぶつけてやる――。そう考えた浅木は早速、「新骨格」と呼ぶまったく新しいパワーユニットの開発に着手した。詳細は省くが迎えた2021年シーズン。開幕戦で2位につけると快進撃が始まった。

そして12月にアブダビで迎えた最終戦。

レッドブル・ホンダのマシンを駆るマックス・フェルスタッペンが、ファイナルラップでライバルのルイス・ハミルトンを抜き去った。

チェッカーフラッグが振られマシンを降りると、フェルスタッペンがその場で手で顔を覆ってうずくまった。ドライバー部門で初の年間総合王者に輝いた瞬間に、感極まったのだ。

ホンダにとってもアイルトン・セナを擁した1991年以来、30年ぶりの快挙となる。

その瞬間をSakuraのミッションルームで迎えた浅木。今度こそ、室内で歓声があがった。

肩をたたき合って抱き合う者、涙を流す者……。

その様子を、浅木は無言でじっと見つめていた。目に涙はない。

後継者

それから1年余り――。浅木は延長していた定年退職の日を迎え、ホンダを去った。ホンダが5度目となるF1への参戦を決めたのは、その直後のことだった。

浅木が常々口にしてきた「異質であれ」の哲学。その意志を誰に託すかは、すでに決めていた。同じ「エンジン屋」の武石伊久雄だ。武石が駆け出しの頃には毎日のように浅木が席の後ろに立って指導してきた。武石はその後も浅木のもとでエンジン担当として風前のともしびだった軽自動車を再建させる際の右腕となってきた。

ところで、ホンダに受け継がれるF1と量産車のかけ算経営には、ある法則が存在する。F1から撤退してしばらくしてから量産車でその知見が発揮されるということだ。

例えば、1970年代にホンダを躍進させた低公害エンジン「CVCC」。F1技術者たちが「レースをやってきた我々だからできる」と言って、本田宗一郎が主張する方式を押し切る形で実現させたものだ。

浅木の信念は「つまらないクルマしかつくれないようならホンダなんて消えてなくなればいい」であり、そのために後輩たちにも「異質であれ」と説いてきた。

だが、近年のホンダは世界を驚かせるようなクルマを生み出せていない。「ホンダの救世主」とも呼ばれる浅木は、後継者にどんな未来を期待しているのか。

「武石に引き継ぐこと？　そんなものはないよ」

浅木はこう語るが、武石はすでに決めている。

「最後に究極のエンジンを作る。僕はそこで暴れさせてもらいます」

電動化とカーボンニュートラルが前提となる新しいＦ１で世界一の座をつかむ。そこで得られる有形無形の資産は、やがて訪れるエンジンなき時代でも頂点に到達するための力につながると信じるからだ。

こうして本田宗一郎の時代から約60年にわたって受け継がれてきた「Ｆ１のホンダ」の系譜が継承されていく。サーキットでの勝負の先に、「異質なるもの」を求めて。

「和光のＦ」

ホンダはＦ１だけでなく飛行機やヒト型ロボットなど、他の自動車メーカーとはひと味違うモビリティーの形を追求してきた。そのゆりかごとなってきたのが和光研究所だ。

始まりは和光の内部に極秘裏につくられた組織だった。1986年に発足した「基礎研究所」だ。ただし、基礎研の存在は対外的には一切公表されず、なにをやっているのかについても、社内はもちろん家族にも極秘と言い渡された。

窓のない部屋に、基礎研であることを示す「F」と数字が割り振られているだけ。例えば、ヒト型ロボットの研究チームはF5研、先端材料チームがF11研といった具合だ。

基礎研を立ち上げたのは当時、和光を中心とする「本田技術研究所」社長の川本信彦（後にホンダ社長）だった。なぜそんな妙な組織を立ち上げたのか。川本に意図を聞くと、「自動車ビジネスが軌道に乗っても、いずれ途上国が追いついてくると考えなければならない。その時にホンダが先を走っているためだ」と返ってきた。

「F」では従来の自動車メーカーの常識にとどまらない研究内容が目白押しだったが、その中でひっそりと始まったのが自動運転の研究だった。ただ、当時の感覚では遠い未来の技術にすぎない。研究された技術のほんの一部が量産車に組み込まれることはあっても、自動運転そのものについては語られることはほとんどなくなっていた。

それから40年近く――。米グーグルが火を付ける形で、2010年代になると各社がこぞって自動運転の開発競争を繰り広げることになった。沈黙を貫くホンダはどう出るのか。出遅れを指摘されたホンダが2021年3月に突如として実用化をなし遂げたのが、世界初となる「レベル３」の自動運転技術だった。

自動運転開発のリーダーは若き「四天王」

一度忘れられた「和光のＦ」の系譜を継ぐ自動運転を託されていたのは、意外な人物だった。２０１５年初めのある日のこと。場所は和光ではなく量産車の開発を手掛けることが多い栃木研究所だ。

たばこ部屋で鉢合わせた上司に、四竈《しかま》真人《まひと》は社内で話題となっていた話を振った。

「そういや、自動運転のＬＰＬって誰がやるんですか？　あれ、絶対にヤバいっすよ。死にますよ」

ＬＰＬとはラージ・プロジェクト・リーダーの略で、古くからホンダ社内で開発総責任者のことを指す。この頃、研究所では自動運転の開発が本格化されることになったのだが、専門家といえる人材は限られる。そして他社に出遅れていることは明白だ。いったい誰がこの貧乏くじを引くことになるのかと噂になっていた。

何度かたばこ部屋で同じような会話を繰り返しているうちに、ついにその上司が四竈に告げた。

「お前も察しが悪いな」

こうして四竈はホンダの自動運転開発の初代LPLに指名された。

四竈はこの時点で入社14年目。エンジニアとしては中堅に差し掛かった頃だが、すでに社内ではちょっとした有名人だった。

新入社員の頃に自分の担当でもない燃料タンク内の故障検知システムを開発し、上司から「次は何をやりたいんだ」と聞かれ「一番ヤバいのをお願いします」と答えた。指名されたのがエンジンが点火しないことを防ぐ失火検知システムの開発だった。3カ月の間なんの報告もせずにぶらぶらとしているように見えた四竈が突然、「ひらめきました」と言って開発したシステムは、世界でもとりわけ厳しいことで知られる米カリフォルニア州大気資源委員会（ARB）の担当者から「ホンダは10年先を行ったな」と評価されたほどだ。この時の四竈の発明は改良を重ねて今でもホンダの全車種に搭載されている。

若くして才覚を認められた四竈は30代に入ると、いつしか栃木の中で「四天王」のひとりと呼ばれるようになったという。そんな四竈には、未知なる領域に挑む際の流儀がある。まずは既存の知識の蓄積を排除するということだ。

「既存の知識を勉強すると『こうやるべきだ』という先入観が入る。だから勉強しない。素人のうちに『なにをなし遂げないといけないのか』を考え抜くんです」

自動運転で言えば、センシング技術や人工知能（ＡＩ）などの専門知識はいわばエンジニアとしての必須科目だが、そういったことは「手法論を考えていくフェーズに入った時にヤミ勉する」という。

実は四竃にとっても自動運転は未知の分野だったが、あえて知識を頭に入れる前に到達すべきゴールから考えた。

「自動運転で、ホンダはなにをなし遂げるべきか」

その一点に集中するのだ。一人で考えるのではなく周囲の仲間たちにも問いかける。ホンダの伝統であるワイガヤだ。会議室だけでなく温泉宿などにも場所を移してざっくばらんに意見をぶつけ合う。

「やっぱり絶対に事故らないってことでしょ」

「でも、追突されたらどうしようもないじゃん」

「じゃ、世の中の平均事故率より低いっていうのはどうかな」

「それだと、飲酒とか暴走をどう考えるかだよな……」

こんな基本的な議論を続けた末に設定したのがふたつの命題だった。

「自動運転によって事故が減る」

「(自動運転のために起きる) 新しい事故がない」

実にシンプルなこの命題を達成するためにはどんな技術が必要になるのか。そこからようやく開発要件を絞ってシステム設計に落とし込んでいく。

急がば回れの開発手法である。毎年3月に開かれる役員による試乗会では、「去年から1ミリも進化していないじゃないか」と叱責されたこともあったが、四竈は悪びれることなく「そうですよ。だって、進化させていないですから」と返した。

リコール危機の教訓

ホンダの現場が置かれていた状況も無関係ではない。新設された自動運転開発チームはいわば寄り合い所帯だ。エンジンやシャシー、センサー、ソフトウエアのほか渋滞の専門家や他社からヘッドハンティングした人材などが顔をそろえる。もちろん和光時代から自動運転開発を手掛けるベテランも加わる。

こんな陣容で一般的に自動運転で想定される技術をテーブルの上に並べ始めてしまうと、おのおのが際限なく細部の開発を始めてしまう。それでは到底、他社に追いつけない。だからあえて目に見える形では進化させずに必要な要素を煎じ詰めていった。こうして世界に先駆けて実用化したのがレベル3だった。

四竃が「急がば回れ」の開発手法にこだわったのには理由があった。自動運転の初代LPL任命から遡ること3年ほど。2012年に上司から「なんとかしろ」と言われて加わったのが「フィット」ハイブリッドの開発チームだった。

当時のホンダは社長の伊東孝紳の号令のもと、全世界でハイブリッド車（HV）を展開する戦略に傾いていた。ライバルはHVで圧倒的に先を行くトヨタ自動車だ。2009年に発売した「プリウス」の3代目モデルが日本で爆発的に売れていた。

この3代目プリウスのお披露目となる記者会見で、二人乗り自転車のパロディーのような寸劇でホンダのHV技術があからさまにコケにされる一幕があった。トヨタ式HVをイメージした自転車に乗る二人が「まだまだ元気いっぱい」という表情を浮かべる一方で、ホンダ式と目される自転車をこぐ二人は苦渋の表情を浮かべ、すぐに力尽きてしまう……。

ホンダの技術陣としては黙っていられない。対抗策としてホンダが編み出したのが、モーターひとつでHVシステムを完結させる「デュアル・クラッチ・トランスミッション（DCT）」と呼ぶ独自技術だった。

「これでトヨタに勝てる。本気でそう思いました」

当時、ホンダの研究開発部門のトップだった山本芳春はこう振り返る。だが、結論から言えば、このDCTがあだとなる。

翌2013年に発売した新型フィットはたった1年で5度のリコールを迫られたのだ。前代未聞の大失態である。5回のうち3回がDCTに関連する欠陥が原因だった。山本は「未知の技術を一度に詰め込みすぎた。完全に我々の技術不足です」と言う。

そのフィットが開発の峠を越えていたはずの頃に起用されたのが、四天王の一角である四竈だった。これが難解を極める作業だった。関係者によると実はこの時点で、フィットHVは停止状態からまともに発進することもままならなかったという。問題の根源のひとつが複雑すぎるソフトウエアにあることは明白だった。

「今あるソフトを全部捨てて作り直していいですか」

四竈は上司にそう念押ししてチームを挙げて挽回を試みたが、これが泥沼に入り込む。ソフトウエアの世界ではよくあることだが、どこかを直せばどこかで新しい不具合が生じる。モグラたたきのような作業が延々と続いた。

「現場としてはもう、どうしようもなかった」

この後、ホンダは「異質なるクルマ」を生み出せず、今に至る。

こんな経験から四竃が学んだ教訓が「まずはめちゃくちゃよく知っている素人になれ」だ。知識を吸収する前にゴールを決める。それを実践したのが自動運転だった。

四竃はその後、ホンダ本体で最年少の執行職に起用され、自動運転にEVも含めた「ソフトウエア・デファインド・モビリティー」の開発統括部長の重責を担う。直訳すると「ソフトが定義するモビリティー」。異業種やスタートアップを含めて自動車産業のプレーヤーが覇を競う激戦区だ。

100年に一度の大転換期をホンダが乗り切れる保証はどこにもない。ただ、少なくとも過去の失敗という財産を未来のクルマづくりにぶつけて、「新しいホンダ」をつくろうと走り始めている。

ホンダの「教義」

ここまでホンダの研究所で活躍する様々なエンジニアたちの「流儀」を紹介してきた。その形は人によって少しずつ違う。ただ、ホンダの「流儀」として一貫していたのが、独立独歩の精神だ。創業者である本田宗一郎から受け継がれてきた、いわばホンダの絶対的な「教義」である。

本田宗一郎(左)と藤沢武夫(1972年)

こんな言葉が残っている。そこには正真正銘のカリスマの力が宿っていた。

「どんな良い技術でも買うことはできます。しかし、買ったものはあくまで買ったものなんです。どんなに苦労してもよろしい。みんなで本当に、自分で考え出したものこそ、尊いんだ。みんなのその腕を信じ……。我々は誰にも教わらずに我々だけでやっていく。時間はかかりますよ。それだけに誇りを持っているのです」

1969年のある日、宗一郎は社員たちを前にこんなことを語りかけた。現在も残るがなり声のような肉声からは、独立独歩にこだわる並々ならぬ情熱が伝わってくる。

宗一郎の右腕だった藤沢武夫も、「ホンダは、松明《たいまつ》を自分の手でかかげていく企業である。たとえ、小さな松明であろうと、自分たちで作って自分たちでもって、みんなの方角と違うところが何カ所もありながら進んでいく。これがホンダである」という言葉を残している。

創業世代が残した独力にこだわる強烈な企業文化が、ホンダを世界的な企業へと押し上げてきたことに異論はないだろう。それは宗一郎を「オヤジさん」と呼び直接薫陶を受けた世代にも受け継がれてきた。1998年に5代目社長に就任した吉野浩行は当時、「400万台クラブ」の名の下で自動車業界に吹き荒れていた世界的な合従連衡の動きを、こんな言葉で一刀両断した。

「二人三脚よりひとりで走る方が速いに決まっている」

鎖国から開国へ

それから時が流れ、自動車産業は100年に一度と言われる大変革の時代に差し掛かった。「教祖」を知らぬ世代が打ち出したのが、創業世代がこだわった独立独歩からの転換だった。第1弾となったのが2013年に決めた米ゼネラル・モーターズ（GM）との提携だった。

ＧＭといえば長らく世界の自動車産業の頂点に君臨してきた会社だ。ホンダとの提携を決めた当時、技術トップだったメアリー・バーラ（後にＣＥＯ）も表向きには「必要な技術はそろっている」と断言して王者のプライドをにじませていたが、実はホンダに提携を持ちかけたのはＧＭ側だった。後にバーラに聞くと「その方が早く社会に実装できるから」と返ってきた。

ＧＭとの交渉役を託されたのが三部敏宏だった。当時は本田技術研究所の常務。その情報は経営陣の中でもごく少数に絞られた。本田技術研究所の社長だった山本芳春でさえ当初は知らされていなかったと振り返る。

Ｖ６エンジンの技術者だった三部には、ＧＭ幹部陣と個人的なつながりがあった。ホンダは２０００年にＧＭへのＶ６エンジン供給を決めていた。そこで得た接点を温め続けて２０１３年に燃料電池車の共同開発から始めた提携を、三部はさらにその後10年をかけて「本丸」であるエンジンや自動運転にまで広げてきた。当時、三部はさかんにホンダの「鎖国政策」の終わりを公言していた。

それから10年――。ホンダの「開国」の相手はもはや同業他社にとどまらない。象徴的なのが、２０２２年に決めたソニーグループとの電撃提携だろう。自動車とエレクトロニクス。フィールドは違えども、ともに終戦直後に生まれ、グローバル企業に駆け上がった「ジャパン・アズ・ナンバーワン」の時代を象徴する企業同士の握手だ。

その両社が折半出資で設立した「ソニー・ホンダモビリティ」の会長兼CEOに就いた水野泰秀は、出足から自動車業界にとっての「異分子」であるソニーの流儀に感銘を受けたという。水野は長くホンダで営業畑を歩んできた。

ソニー側のトップは新会社の社長も兼ねる川西泉。初対面の際に、水野にはこう告げた。「我々はソフトウエア・カンパニーですから」。実際、川西は「家電のソニー」にあって入社以来、一貫して当時は傍流だったコンピューターのソフト畑を歩んできた。

中国で見た脅威

両社の提携は「EV」という言葉で語られることが多い。確かにソニー・ホンダがつくるのはEVだが、その本質はソフトウエアを中心とする「モビリティー・テックカンパニー」だ。ホンダで自動車の営業畑を歩んできた水野にとっては新鮮だが、実はすでに「ソフトの時代」の勃興を思い知らされる経験を経ていた。舞台は2010年から10年間駐在した中国だ。

水野が見たのは、中国で雨後のたけのこのように生まれる新時代の旗手たちだった。ネット通販のアリババ集団、検索の百度（バイドゥ）、画像認識の商湯集団（センスタイム）、そして1991年の創業で中国ではソフトの古豪とも言える東軟集団（ニューソフト）――。いずれも水野が中国時代に提携を決めた、自動車産業のニューカマーたちだ。

「自動車メーカーがやってきた世界観とは異なる。我々だけでは到達不可能。恐ろしいなと思いました」

中国に赴任した当初は上海など大都市で日本や欧米の高級車が飛ぶように売れていた。一時は売れ筋のクルマの「車格」が米国に似ていることから、自動車業界では米国で売れる車がそのまま中国でも受け入れられる「米中カップリング説」がまことしやかに語られたほどだ。

だが、時代は急速に移ろいつつある。

中国は2023年に日本を抜いて世界最大の自動車輸出国にも躍進した。EVシフトでも欧州を追い越して世界の先頭を走る。足元では不動産市場の不安が景気停滞に直面する中国経済を大きく揺さぶっているが、自動車に目を向ければその躍進は世界が認めるところだ。

水野は2020年にホンダの自動車事業のトップとして日本に呼び戻されたが、中国勢の脅威が頭を離れない。それまで四輪事業本部長は東京・青山の本社を拠点としていたが、水野は同本部長として初めて量産車の開発拠点がある栃木研究所の近くに住居を構えた。

営業出身の水野にとっては、研究所と深く付き合うのは初めてのことだった。そこで面食らった。

毎日のスケジュールが会議で埋め尽くされていく。それはなにも四輪事業本部長である水野だけではない。研究所内ではなにかといえば技術の「評価会」を経ることが求められる。絶対の安全性や信頼を担保するために研究所で築かれた文化であることは理解できる。だが、その方法論で、中国で次々と生まれる新たなテクノロジーの旗手たちに勝てるのだろうか。

水野の答えはノーだった。

「巨大戦艦がなかなか動き出さない」

営業出身で研究所の「外様」としてはそこに、言いようのないジレンマを感じざるを得ない。そんな水野にとって、ソフトウエアで自動車産業にイノベーションを起こそうとするソニーの狙いは腑に落ちる。

水野は1986年入社で、1987年入社の三部とはほぼ同世代だ。1973年に引退していた宗一郎や藤沢から直接指導された世代とは一線を画する。

開国を進める現代の指導者たちは、ホンダをどこに導くのか。いつの時代も「らしさ」が求められ、それをユーザーをひき付ける磁力としてきたのがホンダという会社だ。門戸を開いた今、宗一郎の「孫」たちはどんな「らしさ」をみつけるのだろうか。

第7章

ホンダ・和光研究所②

――再び空へ、未来のモビリティーを求めて

ホンダは空への挑戦を続けてきた

1962年	本田宗一郎が飛行機への参入を表明するも、すぐに立ち消えに
1986年	和光研究所に極秘組織の「基礎研究所」を設立。ジェット機とジェットエンジンの研究に着手。
1990年代後半	ジェット機研究チームは実質的に解散状態に
2006年	ホンダジェットの事業化を決定。型式証明取得への苦闘が始まる。
2013年	米当局からジェットエンジンの型式証明を取得
2015年	米当局からホンダジェットの型式証明を取得し、商業化に成功
2016年	和光で空飛ぶクルマ(eVTOL)の開発が始まる
2025年	eVTOLの事業化を判断(予定)

ホンダジェットの残党

和光研究所（埼玉県和光市）の「F」で始まった極秘計画を30年かけて形にしたのがホンダジェットだ。だが、空への挑戦はそこで終わっていなかった。和光ではさらに巨大な市場を目指して「空飛ぶクルマ」のプロジェクトが動き始めている。そこには30年以上に及ぶ、空を目指し続けてきた者たちの物語が凝縮されていた。

「そろそろ潮時かな……」

航空機エンジニアの東《あずま》弘英がホンダを去ろうと考えるようになったのは2016年初めの頃のことだった。この年で、50歳。志半ばで飛行機作りから離れてすでに5年以上がたっていた。

人生の岐路に立ち、ホンダを離れて次の道を探すべきかと悩み抜いていた。一本の電話が再び東を空の世界に導くまでは——。

新明和工業で飛行機に使う構造設計の専門家だった東が、ホンダにやって来たのが2000年のことだ。どうしても防衛省や米ボーイングの「下請け」的な立場にとどまってしまう仕事に疑問を感じていた頃に知ったのが、ホンダが進めていたジェット機の開発計画だった。

東はホンダジェットの開発チームに加わり、自動車メーカーが挑む飛行機参入という夢のあるプロジェクトに没頭してきた。だが、機体の開発にめどが立ち米連邦航空局（FAA）からの認証取得にプロセスが進むと、舞台は米国に移った。和光に残る東らの仕事は次第に縮小され、2010年にはついに飛行機開発の現場から離れることになった。新明和の頃から数えれば、この時点ですでに飛行機の開発に携わって20年がたつ。

「残念でした。正直、現実味がなかった」

東に告げられたのが「飛行機開発で培った技術を四輪車や二輪車に応用せよ」というミッションだった。ホンダジェットを生んだ和光の基礎研で東があてがわれたのは「F3研」だった。

とはいえ、具体的に会社から何を期待されているわけでもない。実際に四輪チームになにかを提案してみても飛行機の知見を生かせる範囲はごく限られる。部品ひとつとっても大量生産を前提とする自動車とではコスト感覚がまるで違う。これといった成果が出せないまま、時間ばかりが過ぎていった。

そこに、ホンダジェットの開発をともにした仲間たちが米国からひとりまたひとりと帰ってきた。20人足らずのF3研はまるでホンダジェットの残党の巣窟のように成り果てた。

「ここでいったい、なにをしたらいいんだろう」

東は「あの頃は浪人みたいな感じでした」と振り返る。一時期は和光でホンダジェットとは違った飛行機を作ろうという機運が盛り上がり、東もチームに誘われた。だが、そこで始まったのはジェットエンジンではなく、クルマのようなレシプロエンジンを搭載するプロペラ機の研究だった。ホンダジェットを経験した東の目には後退としか映らない。

「それなら俺は要らないかな」

航空機エンジニアとして完全に行き詰まった東に追い打ちをかけたのが、1986年から続く基礎研の解体だった。「浪人」たちが集まるF3研の面々も、四輪車の量産車開発を手掛ける栃木研究所へと移されていった。東も例外ではない。50歳にして四輪開発陣に求められるCライセンスの取得に追われる。20代前半の若者たちと講習を受けることになった。そして、ついにホンダからの転職を考え始めた。

空飛ぶクルマ

そんな時に受けたのが冒頭の電話だった。

ちょうど、次の職場になるであろう栃木に出張していた時のことだ。電話をかけてきたのは和光を本拠とする本田技術研究所で、この年に執行役員に就く岩田和之だった。いわゆる自動車の「エンジン屋」だが社内ではアイデアマンとして知られる。その岩田が電話口で告げた。

「新しい空のモビリティーをやってくれ」

岩田が言う「新しい空のモビリティー」とはジェット機ではなく、いわゆる空飛ぶクルマだった。その中でも個人向けのいわゆるホバーバイクだ。すでにイメージはできあがっていた。

1980年代前半にヒットしたSFアニメ「コブラ」。義手の左手にサイコガンを隠し持つ主人公のコブラが乗り回す空飛ぶバイクのフィギュアを手に持ち、熱弁を振るった。

「これだよ。これをつくってくれよ」

唐突にそう言われてもいまいち現実味がわかない。

ホンダのeVTOLの完成イメージ図

「こんなので事業になりますかね」
東が率直に返すと、岩田は「最初は客寄せパンダでいいんだよ」と言い切った。これが2016年初めのこと。この年は空飛ぶクルマが注目を集め始めたタイミングと重なった。二人の会話からしばらくしてから米ウーバーが参入を表明し、世界中で「eVTOL（イーブイトール＝電動垂直離着陸機）」の開発機運が一気に盛り上がることになった。
突然眼前に広がった新たな空のフィールド――。東はもう一度、ここでゼロから新しいものをつくろうと決意した。頼りにしたのが、散り散りになっていたホンダジェットの残党たちだ。ホンダで開発総責任者を示すLPL（ラージ・プロジェクト・リーダー）に就任した東のもとに、ジェット機参入をともに夢見た仲間たちが再び集結し始めた。

30年かけて小型ビジネスジェットで世界一の座をつかんだホンダジェットの栄光の物語。その裏に隠れた男たちが選んだ再出発の舞台は、空飛ぶクルマというまったく新しいフィールドだった。

それから3年後の2019年初め、数々のスタートアップがひしめく米シリコンバレー。その外れにある倉庫街に看板もない建物があった。eVTOLを手掛けるキティホークのテストフィールドだ。東は先輩エンジニアである川辺俊とここを訪れていた。キティホークの創業者は自動運転車の開発で名をはせ「グーグル・カーの父」としても知られるセバスチャン・スランだ。そのスランが手塩にかけて開発したというeVTOLの機体「コーラ」を前に力説する。飛行機のような翼を持つその機体は多人数乗りでクルマと飛行機の隙間を埋める新たなモビリティーだという。

それを聞いた川辺が、ぼそっと日本語で東につぶやいた。

「これだったら俺たちだけでもできるよな」

ガスタービンHVという武器

岩田からの指示で東を中心に立ち上がっていたホンダの空の次世代モビリティー研究チーム。当初は岩田が言う「客寄せパンダ」として一人乗りのホバーバイクを開発していたが、次第に多人数が乗れる本格的な空飛ぶクルマへとシフトしていた。

そのための武器と目したのがホンダジェットの翼の上に載るジェットエンジンだった。ジェットエンジンの基本構造であるガスタービンを発電用に使うハイブリッド式パワーユニットをつくろうと考えたのだ。

世界の航空機業界を見渡せば飛行機の機体とジェットエンジンは完全に分業されている。例えば、米ボーイングは米ゼネラル・エレクトリック（GE）、米プラット&ホイットニー、英ロールスロイスからエンジンを調達している。

機体とジェットエンジンの両方を単独で手掛けるのは、実は世界でホンダのみだ。空飛ぶクルマでもその強みを生かさない手はない。ただし、空飛ぶクルマでも機体とエンジンの両方を実用化するためにはそれなりのカネも人も必要になる。

どうすればホンダの強みを生かす形で次なる空の革命を起こせるだろうか。

ジェットエンジンも自前で量産する

東がそんな試行錯誤を繰り返していた2019年初めにチームに合流したのが川辺だった。肩書は「新モビリティ領域担当フェロー」で、東の上司にあたる。東とはかつてホンダジェットの開発でともに汗を流した仲だ。川辺もまたホンダジェットの開発から途中で離れ、その後はF1や量産車、ソフトウエアと、社内で居場所を転々としてきた。つまり川辺もまた、「ホンダジェットの残党」の一人だ。

2人が描いた新しい空飛ぶクルマ——。それはガスタービンHVの強力なパワーでバッテリーを補い、400キロの飛行を可能とする乗り物だ。

400キロのイメージは、飛行機で移動するには近すぎるが、クルマではちょっと遠距離になる。ふたつの乗り物の間を埋める狙いだ。現実的にはバッテリーだけだと飛行距離がせいぜい100キロが限界という機体がほとんど。ホンダが独自開発するガスタービンHVシステムで飛行距離を400キロにまで延ばすことができれば、差別化の切り札になると考えた。

そうなると空飛ぶクルマの事業構想そのものが変わってくる。

むしろホンダが強みを持つのは機体ではなく、ガスタービンHVシステムの方ではないか――。空飛ぶクルマの機体を自分たちで作る前に、このガスタービンHVを世界のeVTOLメーカーに売り歩いてはどうか。

そう考えた2人はまず、世界のeVTOLメーカーにガスタービンHVを外販する交渉を持ちかけた。ブラジルのエンブラエル、独ボロコプター、米ボーイング系……。その中のひとつが、このキティホークだった。

思惑は外れ、いずれの交渉もまったく進展はない。けんもほろろに却下されることもしばしばだった。

ただ、世界の競合たちを見て回るうちに川辺が切り出したのが、ホンダジェットのように機体も動力も自分たちでやってしまえばいいじゃないかという案だった。

「やる気になればできるでしょうけど、カネがかかりますよ」

東がこうクギを刺すと、川辺はあっけなく「じゃ、やろうよ」と返した。

eVTOLが直面する壁

こうしてガスタービン搭載eVTOLの開発が始まった。ともに志半ばでホンダジェットの現場を去っていた2人は、小型プライベートジェットをはるかに上回る市場規模になるとも予測される空飛ぶクルマの実現に向かい始めた。

ただ、東が懸念したように資金の問題が立ちはだかる。問題は開発費そのものではなく、米連邦航空局（FAA）から商用運航に必要な「型式証明（TC）」を得るためのコストと時間だ。ホンダジェットはほぼ10年を要し、三菱重工業はTC取得の壁を乗り越えられずに国産旅客機の事業化を断念した。日本ではその実態を知る者は少ないが極めて高いハードルだ。

2020年6月、東と川辺は本田技術研究所社長の三部敏宏（後にホンダ社長）に、そんなことを説明する必要に迫られた。

だが事業化に必要な金額を試算すると、開発チームのメンバーに止められた。

「こんなのを持って行ったら絶対にやめろって言われますよ」

その額は優に1000億円を超える。東は「なんとか減らせないかと考えたけど、ごまかしようがなかった」と振り返る。そのまま三部にぶつけるしかない。すると、意外な言葉が返ってきた。

「こんなにかかるのはうちだけか?」

「いや、うちだけじゃないです」

「じゃ、(eVTOLの)ベンチャーは死ぬってことか」

「まあ、そうなりますね」

「そうか……、今日はいい話を聞けた」

それは経営者としての現実的な判断だった。現在は雨後のたけのこのように世界中でeVTOLのスタートアップが名乗りを上げているが、その中で果たして本当にTCを取って商用運航までたどりつけるのは何社あるだろうか。

これから淘汰の時代が始まることが目される。ちょうど100年前に米国で100社以上の自動車メーカーが生まれたものの、あっという間にGM、フォード、クライスラーの「ビッグスリー」へと集約されていったように。

実際、この後にキティホークは事業化を断念した。高い参入障壁は、それを乗り越えた者への先行者利益を保証する。三部は多くを語らなかったが、暗にそう言いたかったのだろう。

こうして動き始めたホンダのｅＶＴＯＬ構想。長く曲がりくねった道を歩んできたホンダジェットの残党たちが再び空へと挑み始めた。

遠回りしたエンジニア

「もしかして日本の方ですか？」

ホンダの川辺俊と東弘英は、ランチビュッフェの列に並んでいた時に聞こえた日本語に、つい反応してしまった。２０１９年６月、米国の首都ワシントンＤＣで開かれた「ウーバー・サミット」というイベントでのことだ。

川辺と東が振り返ると、すぐ後ろにひとりの男が立っていた。口ひげにもじゃもじゃの長髪。東は内心で「変な人だな」と思ったという。

名刺を交換すると、そのひげもじゃ男は「あ、ホンダの方ですか。実は僕もホンダにいたんですよ」と話した。水谷彰宏というその男は、ｅＶＴＯＬを開発するスタートアップ、テトラ・アビエーションの創業メンバーだが、以前はホンダで働いていたのだという。

学生時代から人気テレビ番組の「鳥人間コンテスト」にのめり込み「いつか自分が作りたい飛行機を飛ばす」ことが夢だったという水谷。飛行機への参入を表明していたホンダに2011年に入社したが、配属されたのは自動車のエンジン制御ソフトの開発部門だった。仕事は面白かったが、飛行機作りへの憧れがなくなったわけではない。

「正直、焦っていました」

水谷は2年余りでIHIへの転職を決断する。ジェットエンジン部門での求人を見つけたからだ。ただ、IHIでの仕事は米プラット&ホイットニーとの共同作業にとどまる。「自分が作りたい飛行機」への道が開いているわけではない。そこで水谷が新規事業として提案したのが、米航空宇宙局（NASA）の研究者が提唱していたeVTOLだったが、なかなか思うようには進まない。そんな時に米国で始まったeVTOLの賞金レースに個人で参加していた者同士が集まって有志連合で立ち上げたのがテトラだった。

ウーバー・サミットから日本に帰り、ホンダ時代の同僚から実はホンダもeVTOLの開発を始めたと知った水谷は、どうにか提携という形で古巣からテトラに資金を引っ張ってこれないものかと思案する。だが、すぐに考え方を変えた。

eVTOLの開発陣（前列左から川辺俊氏、水谷彰宏氏、東弘英氏）

航空機業界には高い壁が存在する。FAAなどから商業運航に必要な型式証明を取得することは、単に機体をつくることとは比較にならないほどの難しさが伴う。eVTOLではまだ前例はない。その壁の高さがいかほどのものかを推し量る手掛かりさえないというのが現実だ。

「eVTOLを社会実装できる技術や情報、ノウハウをすべて持っているのはホンダだけだ」

その思いを水谷はワシントンDCで出会った川辺に電子メールで送り、2020年に7年ぶりにホンダに復帰した。古巣で目指すのは空飛ぶクルマでのリベンジだ。

そんな思いは実は、川辺も同じだった。川辺が「ホンダジェットの残党」の一人であることは先述したが、空へと導かれた数奇な歩みという点では水谷や東と同様に曲がりくねった道を経験していた。

素人集団

1987年に入社して配属されたのが和光研究所の内部で設立されたばかりの「F」の基礎研究所だった。従来の常識を覆すような未来のモビリティーをつくろうという極秘組織だが、その中で1年前に始まっていたのがジェット機の研究だった。

ただし、この時点ではホンダにジェット機の知見はなく、まったくのゼロからのスタートだ。入社時に総務担当から言われた「ここにはエキスパートは誰もいませんから、今日からあなたがエキスパートです」という説明は誇張ではなかった。

「あ、前進翼をやってるんですね」

窓のない「F」の研究室の扉を開けた時に目に飛び込んできたのが、ドラフター（製図機）に描かれた特徴的な飛行機の翼だった。人が「バンザイ」をしている時のような形をしている。それを描いていたのが、東京大学航空学科の一年先輩にあたる藤野道格だった。後にミスター・ホンダジェットになる男だ。

戦闘機などに用途が限られる前進翼。その翼の上に載せたエンジン。そしてクルマのようにドアを開け閉めして乗り降りできる胴体。ホンダの主力小型車の名前を取って「シビック・ジェット」と呼んだホンダが目指す飛行機には、「世の中にないものを」という和光の理想が詰め込まれていた。

先輩の藤野のもとでジェット機参入という夢を追い始めた川辺。だが、やはり素人集団である。それは何度も撤退の縁に追い込まれては何とか持ち堪えるという綱渡りのような道程だった。

川辺も入社3年目には「やっぱり今からでもやり直した方がいいか……」と思い詰め、大学に入り直して建築士を目指そうと考えたが、すんでのところで思いとどまった。

プロジェクトが宙に浮いた1990年代半ばには「仕事がないから」とUNIXで社内のメールサーバーを立ち上げたり、ヒト型ロボット「ASIMO（アシモ）」の開発を手伝ったりした。川辺は当時のことを自嘲気味に振り返る。

「あの時は失職状態でしたね」

「バカ殿」

そんな状況に川辺が見切りを付けたのが2005年末のことだった。F1チームからの応援要請を受けてホンダジェット開発陣の中から「さて、誰を送り込もうか」と考えていたところ、「待てよ。こっちの方が面白そうだな」と思い、自ら志願してしまった。ストイックに飛行機作りにまい進する藤野との間に、長い付き合いの中で相克が生じていたことも事実だ。

藤野が当時ホンダ社長だった福井威夫を説得してジェット機を事業化するゴーサインを得たのは、そのわずか3カ月後のことだった。鳴かず飛ばずだったホンダジェットの構想は、ここから大きく動き始める。

一方、ホンダジェットに見切りを付けてF1に戦いの場を移した川辺はその後、試練にさらされることになった。

ジェット機で培った空力や複合材の知見を生かして「さあ、これから」と思っていた矢先の2008年9月にリーマン・ショックが発生すると、ホンダはそれから3カ月もたたないうちにF1からの撤退を決めてしまった。

川辺はF1から量産車の開発部門に移されたが、「もう閑職なんだろうな」と覚悟したという。この時で47歳。すでにベテランの域だ。今更、経験のない量産車開発に移っても「自分は使い物にならないだろうなと思いました」という。

実際、量産車に移り社内の検証会に出ても耳に入ってくる言葉が分からない。川辺は決裁を求められる立場だった。

「うーん……。いいんじゃない」

なにを提案されても、そう答えるしかない。

「こういうのを〝バカ殿〟っていうんだろうな」と自嘲するしかなかった。面と向かって「川辺さんに何ができるのか、見せてもらいましょうか」と挑発されたこともあったが、返す言葉がなかった。そして、ついに体調を崩してしまった。その後も未経験のソフトウエア部門に回された。

「すべてがつながった」

社内で行き場を失っていた川辺に転機が訪れたのが2019年のことだ。本田宗一郎の右腕だった藤沢武夫の発案で1960年に和光の研究所を分離独立させる形で設立された本田技術研究所。研究開発部門が子会社として独立し、ホンダ本体に図面を売るという一風変わった経営体制を築いたことが、ホンダが革新的な技術を生み出すゆりかごとなってきた。

創業世代が築いたビジネスモデルにメスを入れたのが、２０１５年から21年まで社長を務めた八郷隆弘だった。ホンダでは初めて本田技術研究所のトップを経ずに社長に就任した「研究所を知らない社長」だ。その八郷が2年間かけて、先進技術だけを本田技術研究所に残す改革を進め、量産車の開発は東京・青山の本社と一体化させたのだ。

それはホンダのＤＮＡの否定とも言い切れない。

「もう一度、技術が優先される場を作りたい」

ある先輩技術者がこう説得して川辺を生まれ変わった和光へと引き抜いた。

「技術の前に即断即決」

「ホンダが２０５０年まで生き延びるためには何が必要か」

そんな言葉に共感し、新モビリティ領域担当フェローとして和光に戻ることを決めたのだった。

そこで出会ったのが、かつてホンダジェットで部下だった東が進めていたｅＶＴＯＬの研究だった。そこに理想の飛行機作りを夢見て一度はホンダを後にした水谷が戻ってきた。

すでに60歳を超えた川辺にとって、ホンダで残された時間はそう長くはないことは理解している。ホンダはｅＶＴＯＬを事業化するか否かを２０２５年中に決めるというが、川辺は「研究で終わらせない。必ず実現させる」と強い口調で言い切る。その時までは現場を引っ張り、次代にその先を託すつもりだ。

「シビック・ジェット」でエンジニア人生が始まり、志半ばにジェット機の開発現場を後にした。Ｆ１でも思いは半ば。量産車部門では「俺はバカ殿かよ」と自嘲した。それからも未経験のソフトウエア部門をへてきた。

その先につながった空への野望——。思えば遠回りをしたものだと思えなくもない。だが、川辺はそのすべてが無駄ではなかったと言う。

「今までたどってきたことが全部つながって、最後にこんな場ができた。運命に導かれたんだなと思います」

こうして始まったジェット機に続く、次なる空の革命への挑戦。水谷ら現場の技術陣はすでに米西海岸に場所を移して事業化への道を探り始めている。それぞれに紡いできた思いを、小さなプロペラに託して。

ジェットエンジンの原点

それぞれに遠回りをしてきた男たちの手によって本格化したｅＶＴＯＬの開発構想は、ホンダにとってはホンダジェットに次ぐ空への挑戦となる。

一方で、その随分と前から「なんでうちはこれをやらないんだ」と思い続けていた男がいた。ジェットエンジン開発部隊を率いる輪嶋善彦だ。輪嶋がＦ１復活に奔走する浅木泰昭を、「ＭＧＵ－Ｈ」という部品のてこ入れで側面支援したことは第６章で触れた通りだ。

話は少し前に遡り２０１３年。輪嶋たちがゼロから研究を始めて形にしたジェットエンジン「ＨＦ１２０」が、米連邦航空局（ＦＡＡ）からの型式証明（ＴＣ）取得に成功し、商用運航への道を開いた。同時に研究を始めたジェット機の機体に先立つこと２年だが、ここまで実に27年間の月日を要していた。

それからしばらくしてジェットエンジン開発チームの中で議論が始まったのが、次世代エンジンに関する考察だった。

自動車とは比較にならないほどの長期間をかけてひとつのものを形にしていくのがジェットエンジンの世界だ。これからＨＦ１２０に次ぐモデルを実現するのは相当先の話となる。米ＧＥなどジェットエンジンで長い歴史を持つ世界の古豪と違い、いくつものエンジン開発を並走させることは現実的ではない。これは若手への技能継承の場が限られることを意味する。

では、30年近くかけて育てた火を絶やさないためには、どうすればいいか。そんな議論の中から若手エンジニアが提唱したのが、ジェットエンジンの基本構造であるガスタービンを発電用に使ってモーターで駆動する「ガスタービン・ハイブリッド」の開発だった。小型パワーユニットが求められるｅＶＴＯＬが用途として有望なことを、輪嶋は見抜いていた。

「僕はそのプロジェクトを立ち上げたかった」

そんな時に和光の中で元ホンダジェット開発チームのエンジニアである東弘英が始めていたのが一人乗りホバーバイクの開発だった。これを本格的な多人数乗りのｅＶＴＯＬへと路線転換するという。東が開発総責任者のＬＰＬとなるが、その上に置く全体統括的なリーダーに誰を起用すべきか。意見を聞かれた輪嶋は「川辺さんがいいんじゃないですか」と推薦した。

実は輪嶋と川辺は同期入社組だ。ちなみに川辺が大学院卒で年上だから「川辺さん」だ。普段は趣味のバスケットボールをともにするくらいの付き合いだが、空への思いは承知している。追われるようにホンダジェットの開発現場を後にしてから社内の部署を転々としていたことも。

こうして空飛ぶクルマへの挑戦を、パワーユニットの面から支えることになった輪嶋。

もともとは「材料屋」としてキャリアを始め、若くしてジェットエンジン開発チームに飛び込んだ。

ところで、輪嶋たちがジェットエンジンの事業化にこぎつけるまでに「ゼロから27年を要した」と前述したが、実は、これは正確とは言えない。そこには知られざる「前史」が存在するからだ。話は60年以上前に遡る。

東京大学で航空機エンジンを学んでいた吉野浩行がホンダへの入社を決めたのは、朝日新聞の社会面に掲載された小さな広告に目をとめたからだ。

「国産軽飛行機　設計を募集」

1962年1月のことだ。タイトルの通り、当時はまだバイクメーカーでしかなかったホンダが広く飛行機の設計を募集していた。創業者の本田宗一郎による飛行機参入宣言だった。

同じ頃、東北大学の大学院生でやはり航空機エンジンを専攻していた川本信彦もこの広告を見つけ、「おもしれぇ会社だな」と思いホンダを志願した。

いずれも空への野望に共鳴して、当時はまだ戦後に生まれた新進気鋭の企業のひとつという位置づけだったホンダの門をたたいた。川本は1990年に4代目ホンダ社長となり、吉野はその後任となった。

この広告が掲載された1962年はホンダにとって分水嶺になる年だった。飛行機だけでなく、現在の主力事業である自動車への参入も表明したからだ。

川本は翌63年に入社するとすぐに自動車設計に回され、一方の吉野が配属されたのは飛行機に使うジェットエンジンの開発チームだった。チームはできたばかりだったが、吉野が入社した頃にはすでに飛行機ではなく自動車にジェットエンジンを使う研究が進んでいた。漫画に出てきそうな「ジェット車」の開発に着手していたのだ。

これが、まったく使い物にならない。

「ヒューンと音が鳴ってノロノロとクルマが進むんです」

吉野は当時試作したジェット車を、そう振り返った。やがて開発は下火となり、吉野は後にホンダが世界的メーカーへと飛躍する原動力となる低公害エンジン「CVCC」のチームに移った。自動車での快進撃が始まると、ジェットエンジンは社内でも忘れられた存在となっていった。

ジェットエンジンの系譜を継ぐ男

それから20年余り。もう一度ジェットエンジンの開発に着手しようと決めたのが、川本だった。１９８６年に和光で極秘組織の「基礎研究所」を発足させると、ロボットや燃料電池、自動運転と並んで飛行機とジェットエンジンの研究を始めるよう命じた。

この時点で、１９６０年代に「ジェット車」で培われたホンダのジェットエンジン研究の蓄積はほぼ失われていたように見える。だが、細い糸をたどるようにその系譜を紡ぐ者が存在していた。

基礎研でジェット機とジェットエンジンの両方の総責任者に指名された井上和雄というエンジニアだ。この井上こそがホンダのジェットエンジン開発の原点を知る男だった。

井上は東大航空学科で吉野の３つ上の先輩にあたり１９６０年に入社した。ちょうど和光を本田技術研究所として独立させた年だ。その井上が入社3年目に3億円の資金を与えられて研究を命じられたのがジェットエンジンだった。ここに新卒の吉野が加わった。

10人足らずで細々と開発していたが、出口は見えない。社運がかかるCVCC部門に吉野を移したのも井上だった。井上はその理由を「彼は若くて優秀だったからね」と振り返った。貴重な人材は成長分野に回すべきだと考えたのだ。こうしてホンダのジェットエンジン開発史は一度幕を閉じる。

だが、この後に二輪車に移った井上が逆転ホームランを放つ。開発したのが「回転数応答型バルブ休止機構」と呼ぶエンジン技術だった。走行状態によってバルブの稼働数を変える技術で、後にホンダの自動車エンジンの看板となるVTECの原型となった。井上の貢献を、今ではホンダ社内でも知る者は少ないだろう。

逆境を跳ね返した井上をジェット復活のリーダーに指名したのが、やはり飛行機に導かれてホンダの門をたたいた川本だった。ところが、ジェットエンジンを巡る物語にはこの後にも曲折があった。宗一郎ら創業世代が追い求めた「世の中にないものを」の理想を、井上もまた持ち続けていたのだが、その先に思わぬ「反乱」が待っていた。

理想と現実

井上が目指したのはターボファンと呼ばれる一般的なジェットエンジンではなく、ジェット機構を使いつつも2つのプロペラをそれぞれ逆に回転させて推力を得る「二重反転プロペラ」と呼ばれるものだった。しかもそれを当時は開発途上だったセラミックで作ると言い出したのだ。ちなみに先述した「バンザイ」をした形の前進翼などを盛り込んだ「シビック・ジェット」を考案したのも、この井上だった。

「ビュンと回ったかと思えばカチャンと言って終わり。いつも、何度やってもそうでした」

和光で井上が率いるジェットエンジン開発チームに「実験屋」として配属されたのが、後に本田技術研究所の社長になる山本芳春だった。何度テストを繰り返しても一瞬で終わり、粉々に砕けたセラミック片が残るだけ。

「僕の仕事は〝壊し屋〟でした」

山本はこう振り返る。実験室で大爆発が起こり、プロペラが天井に突き刺さることもあった。なんの進展もないまま4年ほどが過ぎていった。

実力行使に出たのが、井上が右腕として頼りにしていた窪田理だった。やはり東大航空学科の後輩にあたる。

窪田は若手エンジニア4人を集めて井上には黙ってターボファンへの方向転換を探り始めた。この反逆はある日突然、発覚する。すると井上は何も言わずに現場を去った。ここからホンダジェットの翼の上に載るHF120へと続く開発が始まった。1990年代初めのことだ。

創業世代が掲げた「世の中にないものを」の理想は、ホンダを突き動かし若い才能を集める原動力となってきた。だが、ホンダの歴史を振り返ると、そこにあったのはきれい事ばかりではない。そこには理想と現実との絶え間ない衝突が存在してきた。

例えば、1972年に開発に成功した低公害エンジン「CVCC」。本書で何度も登場しているが、ホンダを世界的なメーカーへと押し上げた歴史に残る名機だ。

米環境規制のマスキー法を「これは神が与えたチャンスだ」と言ってエンジニアたちを鼓舞したのは宗一郎だった。GMなど米国勢のみならず、ホンダのはるか先を行く世界中の自動車大手がこぞって「実現は不可能」というキャンペーンを展開していたからだ。

ただし、宗一郎がこだわったのは一般的なエンジンの水冷方式ではなく空冷だった。「第2次世界大戦でドイツのロンメル将軍がサハラ戦線で英国に勝ったのは空冷エンジンを使ったからだ」というのが論拠だった。

これに若手エンジニアたちが「水冷ならできる」と真っ向から反論する。現場の声を宗一郎にぶつけたのが、宗一郎が全幅の信頼を置き研究所独立も立案した藤沢武夫だった。藤沢は宗一郎にこう言って迫ったという。

「あなたはホンダの社長としての道を取るのか、技術者か。どちらかを選ぶべきではないでしょうか」

宗一郎の答えは前者だった。社長として、若手の意見を受け入れた。これが宗一郎の引退につながっていく。

それから時が流れ、名もなきエンジニアが繰り返した理想と現実のせめぎ合い。「異質なるもの」を求めて先達が技術というリングの上で繰り広げてきた真剣勝負。その系譜は、今もホンダに受け継がれているのだろうか。

アバターロボット

今更ながらホンダの正式な社名は「本田技研工業」である。読んで字のごとくで、どこにも「自動車」や「二輪車」の文字はない。あくまで技術を世に問うものづくりの会社だ。その対象はおおむね乗り物、あるいはモビリティーとなる。したがって、本章で紹介したeVTOLやジェット機、ジェットエンジンはホンダが手掛ける「本業」なのだ。

人の移動を助けるのがモビリティーなら、その形はなにも「乗り物」に限らない。実際、和光研究所ではそんな発想のもとで次世代モビリティーの開発が進んでいる。そして、その開発が始まったのは、最近のことではない。

VRゴーグルと少しごつめのグローブをはめると、何千キロも離れた場所にあるロボットが動き出す。グローブをつけた手と全く同じ動きで楽々と重いものを持ち上げる――。

「アバターロボ」と吉池孝英氏

場所は問わない。生身の人間では激しい作業がしにくい空気の薄い高山でも、危険な場所でも、地球から遠く離れた月面でも。

和光研究所で開発が進められる、名付けてアバターロボットだ。あたかも自分の分身（アバター）のように動くからこの名前。現在は4本指で人の手の繊細な動きを再現する技術の開発が進んでいる。

アバターロボ開発の陣頭指揮を執るのが吉池孝英だ。学生時代からロボットを学び、1998年にホンダに入社してからもロボット一筋に取り組んできた。2000年11月にホンダがASIMO（アシモ）を公開して世間をあっと言わせた時には、舞台の裏から祈るような思いで見つめていた。

「転ばないでくれよ」

二足歩行でその名を知らしめたホンダのロボットがなぜ今、「分身」なのか――。ロボットとともに歩み続けてきた吉池は「原点回帰です」と話す。その真意を探るには、まず四半世紀前に時間を遡る必要がある。

吉池がホンダを希望したきっかけは、ホンダが初めて公開した二足歩行ロボ「P2」をテレビで見たことだった。あたかも人間が歩くようにロボットが歩を進める。

「不可能だと思っていたことがいきなりリアルになりました」

その姿は吉池だけでなく、世界に衝撃を与えた。

希望通りに和光のロボット開発チームに配属されると、目の当たりにしたのが試作中の後継ロボ「P3」だった。重さが210キロだったP2に対して、P3は130キロ。ガタイの良い人の体重に近づいたとはいえ歩くたびにガシンといって足が震える。しかも、あらかじめ決められたようにしか歩けない。P2に憧れてホンダに入社したはずが、軽い失望を感じざるを得なかった。

「なんでもっときれいに着地できないんだろう。まだここまでしかできないんだ」

そう思った吉池はその日の夜に開かれた歓迎会で先輩たちを前に宣言した。

「僕はもっと、どこでも歩けるようなロボットを作りたい」

生意気な新入社員を、チームの面々は受け入れた。吉池が最も影響を受けたという4つ上の先輩は「人から言われたことをやるのは仕事じゃない。だからちゃんと主張しろよ」と言って後押ししてくれたという。

「鉄腕アトムをつくれ」

2年目を迎えた吉池に、ロボット開発チームのリーダーである広瀬真人が「小さいロボット」を作れと命じ、たった3人のチームが結成された。吉池は制御系を任された。広瀬は1986年に和光に極秘組織の基礎研究所ができたタイミングで他社からホンダに転じ、ロボット開発を託された人物だ。当時のミッションは「鉄腕アトムを作れ」。それから10年余りがたち、いよいよアトムのような子供サイズのロボットの開発に着手したのだった。これが翌2000年に公開されたアシモだ。

真っすぐ歩くだけなら問題ないが、少し曲がろうとするとあっさりと倒れてしまう。その理由が分からない。

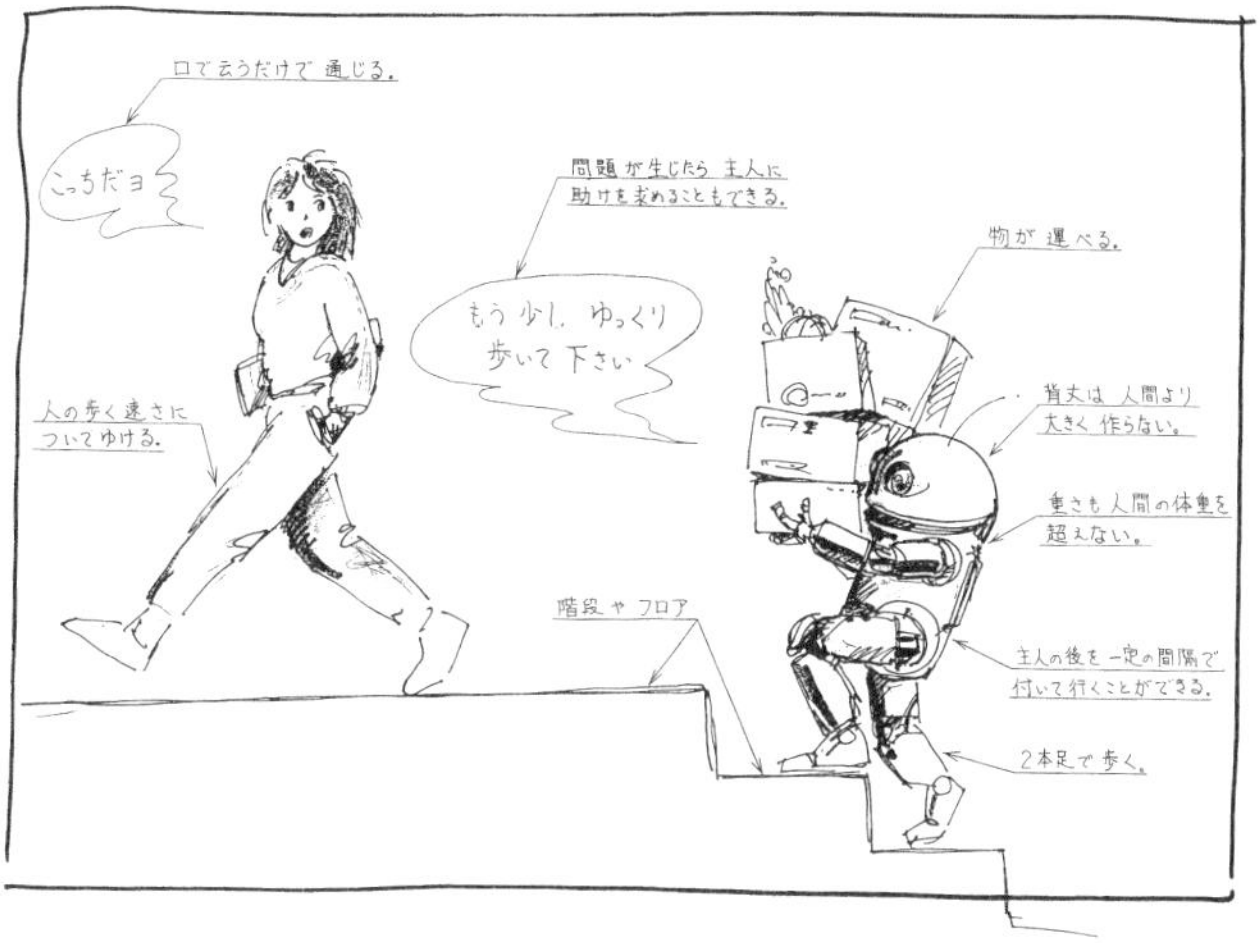

ホンダは1986年時点から「お供ロボット」をイメージしてロボット開発を進めていた（当時のスケッチ）

「なぜ、なぜ、なぜ、と延々と分析していました」

そう振り返る吉池に、広瀬がよく飲み会の席で語ったのが「俺が作りたいのは産業ロボットじゃない。人の中にロボットを入れるんだ」だった。

吉池が配属された和光・基礎研の「F5研」には、一枚のスケッチが保管されていた。荷物を持った子供くらいのサイズのロボットが階段を上りながら「もう少しゆっくり歩いてください」と、前を歩くあるじに話しかけている。「お供ロボット」と名付けられたこのスケッチこそがホンダのロボット開発の原点だ。広瀬が言う「人の中に」は、人の生活の中に溶け込んで人を助けるようなロボットのことを意味する。

軽快な二足歩行で話題となったアシモは瞬く間に世界中の関心の的になった。発表に先駆けてヒューマノイドをつくる是非をローマ教皇庁に問い合わせたこと、NHKの紅白歌合戦に登場したこと、関節の動きを考察するため開発陣が動物園に通ったこと――。様々な逸話が語られた。だが、実のところアシモは、かつて和光で描いたお供ロボットへと至る過程のひとつにすぎないことは、あまり語られずにいた。

一方で「足」の研究にはフロンティアも多かった。吉池自身も入社初日に宣言した「どこでも歩けるロボット」の実現を目指して研究に没頭した。「世界をリードするものを作らないといけないというプレッシャーがありました。カッコ悪いことはできないと」

研究は急ピッチで進んだ。1日に5~6回実験することは日常茶飯事だ。「ちょっとおかしいかもと思ったらすぐに実験してデータを集める。とにかくアルゴリズムを考えてソフトを書いて実験して解析する」。その繰り返しだ。

当初は歩くだけだったアシモはやがて人間のように走るようになり、でこぼこの地面も苦にならない。少しくらいぶつかられても体勢を立て直すまでに進化した。

でも、その先に何を目指すのか――。

そんな議論が始まったきっかけは2011年に東北を襲った東日本大震災だった。未曽有の事態に、ホンダはなにができるのか。

アシモで培った技術を使い、産業技術総合研究所とともにつくったのが福島第1原発の内部で人が入れない場所で作業できるロボットだった。

二足歩行を実現したアシモは確かに社会にインパクトを与え、多くの少年少女たちにロボットへの夢を与えたことだろう。だが、ホンダのロボットが目に見える形で社会に貢献したのは、実はこの時が初めてだった。

この際にロボット開発そのものの方向性が問い直されたのだが、その議論の中で再確認されたのが「技術は人のため」という創業者、本田宗一郎が残した教えだったという。

アシモの由来

「なにか人の役に立つロボットを開発できないか」。そう思い立ったはよいが、その形がなかなか見えてこない。

アシモの研究にあたってきた技術者たちはこの後、社内の様々な技術開発にかり出されることになる。自動運転を手助けした者もいれば、個人利用のマイクロモビリティーに関わった者もいる。試作された「倒れないバイク」にもその技術が応用された。

そんなロボティクスチームの現状を、世間は「アシモは終わった」と見た。ちょうど同じ時期に米ボストン・ダイナミクスが人間のように駆け回るロボットを公開したことで、新旧の入れ替わりのようにも捉えられた。

「すごいなとは思いましたが、我々はそこを追求したかったわけじゃない」

原発作業ロボにもマネージャーとして関わった吉池はこう振り返る。

その吉池が「足」に替わって研究を進めていたのが「手」だった。足と比べても格段に複雑な動きが求められる。人間の手の動きを再現できるなら、離れた場所でも細かい作業ができるはずだということで行き着いたのが分身ロボだった。

アシモが3次元の動きを再現したのなら、分身ロボは時間と空間を超えてあたかも瞬間移動のような働きができるということで「4次元ロボット」と呼んでいる。パフォーマンスではなく実際の作業に使うことができる。

人の役に立つ「お供ロボット」。そして、瞬間移動を可能にする「4次元のモビリティー」。いずれの概念も、1986年に和光でロボット開発が始まった時に掲げられた理念そのものだった。実は当時から「4次元」の言葉も使われていた。

その過程にあったアシモも、正式名称は「Advanced Step in Innovative Mobility（革新的モビリティーへの先進的ステップ）」の頭文字を取ったものだ。

新たなモビリティーを追求し続けるのは、ホンダが創業してから変わらない信念だ。アシモは文字通りそのための「ステップ」だった。その遺伝子を受け継いだ「お供分身ロボット」の開発は原点回帰といえる。これから問われるのは、そのスペックの進化だけではない。和光という研究者たちにとっての聖域の殻を打ち破って、社会に実装するための実行力だ。

くすぶる情熱のマグマ

ホンダの正式な社名は「本田技研工業」だ。そこに、「自動車」や「モーター」を結び付けることなく、あくまで「技研工業」を掲げるホンダとはなんの会社か――。そんな問いに答えるのはロボットだけではない。今や世界的な大企業に「なってしまった」ホンダを、ところ狭しと飛び出して自らの「技研」を問うエネルギーを持つ若者が集まるのが、ホンダの研究所だ。

研究所の中でくすぶる情熱のマグマを形にするにはどうすればいいか。ひとつの形ができつつある。

街中で見かけるようになった電動キックボードと見た目はそっくりだが、中身はまったく異なる――。キックボード本体がバランスを取ってくれるので停止しても足を地面につける必要はない。走っている時に体を傾けても倒れそうで倒れない。通常のキックボードの左右の足を前後させるのではなく、足をそろえて正面を向くことができる。

こんな新しい乗り物を発売したのがストリーモ（東京・墨田）だ。2023年7月に施行された改正道路交通法に対応しており、予定していた300台の第1次受注には4倍を超える注文が殺到し、あっという間に完売してしまった。

ストリーモを創業した森庸太朗はもともとホンダで二輪車を開発するエンジニアだった。起業など全く考えていなかったという森が独立するきっかけとなったのが、ホンダが2020年に始めた社員に起業を促す「IGNITION（イグニッション）」というプロジェクトだった。

「藤沢武夫がいない」

仕掛け人となった中原大輔は不動産会社からの転職組だ。ホンダに転じたきっかけは、創業者である本田宗一郎の右腕として実質的に黎明期のホンダの経営を担った藤沢武夫への憧れだった。

システム部門や経営企画を歩んだ中原が、ホンダの開発現場に潜むマグマに触れたのが2013年のことだ。その年の秋に開かれる技術展示会の「CEATEC（シーテック）」の担当に指名された。

どうせやるなら世間をあっと言わせるモノを出したい。そう考えた中原が研究所を行脚すると、宝の山が次々とみつかった。研究所に埋もれていた数々のアイデアだ。

ひときわ目を引いたのが「倒れないバイク」だった。時速4キロ以下になって倒れそうになると、前輪を支えるフロントフォークが自動で動いて絶妙のバランスを保ち、倒れそうで倒れない。聞けば、ヒト型ロボットのASIMOで培った制御技術も応用しているのだという。

「これを出したい！」

中原は猛烈にプッシュしたが、開発はまだ途上で見送られた。ただ、研究所に通ってこんなやり取りをするうちに、あることに気づいた。

「アイデアはあるけど、どれもそこで終わってしまっている」

各地の研究所では技術者の知恵を競うアイデアコンテストが恒例行事となっている。外から来た者にとっては宝のようなアイデアが満載だが、誰も本気で事業にしようとは思っていない。趣味の延長でやっているように思えた。

それからしばらく時間が過ぎて2017年。各地の研究所を束ねる「本田技術研究所」で当時社長だった松本宜之の指揮で始まったのが、技術者たちのアイデアを事業に昇華させようというイグニッション制度だった。

当時は、主力車の「フィット」が発売後1年間で5度のリコールに追い込まれた爪痕が色濃く残っていた。研究所には失敗を恐れる風潮が見え隠れしていたという。「チャレンジ精神を取り戻さないといけない」という松本の掛け声のもと、技術者の心に火を付ける狙いで創った新制度を、クルマのイグニッション（点火装置）にたとえた。

この時に本社サイドで担当者に起用されたのが中原だったが、不満があった。第1期で350ほどの提案が集まった。クルマの下に潜り込んで操作するパーキングロボや燃料デリバリーサービス、子育てサポートベビーカーなど。

どれも面白いとは思うが、本気で事業にする覚悟があるようには見えない。

「結局、アイデアコンテストの域を出ないものばかりでした」

事業にするためには、何が欠けているのか――。異業種からやって来た中原はこう考えた。

「ホンダには技術開発に情熱を燃やす本田宗一郎のような人はいっぱいいる。でも、藤沢武夫がいない」

藤沢は静岡県浜松市で1948年にホンダが創業した翌年に、共通の知人の紹介で宗一郎と出会った。当時の宗一郎は困窮を極め、自宅には壁に大きな穴があいたままだったという。宗一郎が独自に開発した小型エンジンを搭載したバイクを作ってはいたが、それを売ってカネに換えるすべを知らなかったのだ。商売がめっぽう上手と聞く藤沢に、宗一郎はこんなことを聞いた。

「あんた、ばくちはやるか」

すると、藤沢は独特な口調でこう答えたという。

「あたしは人生そのものがばくちだと思っている。ハナからサイコロなんて小さいよ」

これで意気投合した2人は「技術の宗一郎、経営の藤沢」と役割分担をはっきりとさせた。藤沢がはがきを使ってバイクの販路を築いたのを皮切りに、ホンダを急成長させていった。

それから四半世紀後に、藤沢から引退の意向を知らされた際、宗一郎は「藤沢武夫あっての本田宗一郎だ。ふたり一緒だよ」と言って自らも引退を決めたというほど、絶大な信頼を置いていた。

研究所に眠る技術やアイデアを世に送り出し事業として開花させるためには、エンジニアの熱意だけでは不十分だ。藤沢のようにまだ見ぬお客を見つけ、アイデアをカネに換えてくれる人物はどこにいるのだろうか。中原は「現代の藤沢武夫を探すなら事業を創るプロであるベンチャーキャピタル（ＶＣ）じゃないかと考えた」と言う。

ホンダのベータ版

ここで相談したのが、シリコンバレーに駐在する杉本直樹という男だった。リクルートから転じて現地で起業し、２００５年にホンダに移ってからは現地のスタートアップとホンダを橋渡しする仕事に奔走していた。独立独歩を「教義」としてきたホンダが背を向けてきたオープンイノベーションの発想を早くから持ち込んだ人物といえる。

「ホンダの色がついた時点で投資家は来てくれないぞ」

そう言って杉本が提案したのが、ホンダからの出資を20％未満に抑える形でエンジニアの独立を支援する制度だ。応募する資格は技術やアイデアだけではない。杉本は「ホンダから飛び出す覚悟がなければダメだ」と言う。

杉本は当時、本田技術研究所の社長だった三部敏宏（後にホンダ社長）には「これはホンダのベータ版ですよ」と言って口説いた。

あくまで試験的な段階であり、少々の不備には目をつむってもらうのがベータ版というものだ。インターネットの世界では常識だが、長い伝統があり、「商品とは完成品である」ということが当然である自動車産業では、なかなか受け入れられない発想だろう。そこを、杉本は押し切った。

「新しいアイデアを形にする。そういうものをガンガン出せるスタイルを創りましょう」

こうしてイグニッションは、起業家育成プロジェクトに生まれ変わった。これが2020年のことだ。


そこに第1陣として名乗りを上げたひとりが、ストリーモの森だった。森には秘めた思いがあった。イグニッションの創設に奔走した中原が「宝の山」と目した研究所の中でひときわ輝いて見えたという「倒れないバイク」。実は森は二輪車の開発者としてこの計画に加わっていた。だが、森の受け止め方は中原とは180度違っていた。

「独りよがりの技術。本当に欲しい人がいるのか。自分なら買うか。いや、要らないよ」

森に言わせればバイクは「人と対話する乗り物」だ。乗り手の意思を無視したような倒れないバイクには対話がないと思えてならなかった。

その背景には、バイクを研究する朝霞研究所（埼玉県朝霞市）、通称「アサケン」で鍛えられたエンジニアとしてのプライドがある。

「和光は技術を見ている。でも、朝霞はお客さんを見ていますから」

わずか2駅ほどの距離にある「本田技術研究所の本拠」として君臨する和光に対する、強烈な対抗意識とも言えるだろう。

その森が世界中を回る中で目にしたのが、街中を走る電動キックボードだった。実際に乗ってみて感じたのは、あの倒れないバイクと同じ感覚だった。

「こいつには対話がない。だから信頼できない」

森に言わせれば、「そんなの乗り物じゃない」。

だったら対話が存在し、ふらふらせず安心して乗れるマイクロモビリティーを自分でつくってやろう。そう考えて自宅のガレージで約1年かけて自作したのがストリーモだった。

イグニッションに参加する中で、森にとっての「藤沢武夫」との出会いも待っていた。ストリーモに最高執行責任者（COO）として参画した橋本英梨加だ。学生時代からインターン生としてスタートアップに関わり、住友商事から米シリコンバレーのVCを経て日本に戻り、ハードウエア系スタートアップ支援の「HAX　Tokyo」を立ち上げていた。

「技術がいくらよくてもダメ。決め手はトップのビジョンと熱量です。森さんにはそれがあった」

もともと「日本の素晴らしい技術を世界で実装するのが私の人生の目標」と決めていた橋本。森とともにホンダから生まれた新しいモビリティーを世界に広める緒に就いたばかりだ。

未来への挑戦

スタートアップの世界の中でも、ものづくりの分野は資金繰りをはじめ、生産から販売までのパートナーシップ構築などの面で様々な壁が存在する。それは、ホンダの「ふたりの創業者」が経験してきたことでもある。

ただ、その先に、ものづくりでしかなし得ない世界を構築する夢があるはずだ。すくなくともこの世界に挑戦する者は、そう信じている。

ホンダがかつての革新性を失って久しいという指摘は長年にわたって繰り返されてきた。それは事実だろう。

ホンダはその殻を打ち破って新しい何かを世の中に問うことができるのか。和光をはじめ未来をつくる研究所からは数々のアイデアが今日、この時も生まれている。自動運転、空飛ぶクルマ、4次元ロボット、そしてストリーモのようなスタートアップ……。

その中のいくつが生き残り、花を咲かせるのかはまだ分からない。ひとつだけ言えるのは、未来への挑戦をやめてはならないということだ。そうすることでしか、この国のものづくりを次代につなげることはできないのだから。

おわりに

この手のエピローグには似つかわしくないことを承知の上で、極めて個人的なことを述べさせていただきたい。以下は、取材陣のひとり、杉本貴司の個人的な体験であることをはじめにお断りしておく。

私の実家は大阪東部の工場街にあった。この辺りでは「こうば」と読む。1階がこうばで2階が家。金属の切削加工機が並ぶこうばからはいつも油のにおいがただよい、切りくずの「キリコ」を吹き飛ばすエアコンプレッサーの音が響いていた。まだ幼い時に、なにかの弾みで飛んできた大きなキリコが私の左手に当たった。その時にできた火傷の痕は、いまだに手首のあたりに残っている。

祖父と何人かのおっちゃんたちでいっぱいになってしまう、小さなこうばだった。仕事を手伝った後にピンク色の粉セッケンで洗っても手には油のテカテカが残る。得意先に品物を届けるトラックの荷台に載せてもらうのが子どもの頃のひそかな楽しみだった。昭和の頃のことだ。もう時効ということで大目に見てもらいたい。

正月にはみんなで餅つきをし、おでんの大鍋を一緒に囲む。おっちゃんたちがしきりに勧めてくるビールを子どもながらに飲み干すと、わっと歓声が上がる。

早い話が絵に描いたような町工場だ。周囲にも似たような工場が並んでいた。幼い私は「家族経営」などという言葉を知らなかったが、こうばというのはそういうものだと思っていた。

そんなのどかな大阪の下町の町工場に、荒波が襲ってきた。バブルが崩壊する直前のことだったと記憶している。地元経済を支えてきたはずの大手家電メーカーが生産を海外に移し始めたのだ。日に日に家業が傾いていくのが、子どもながらに分かった。

苦労してこの工場をつくった祖父がある日、ぽつりと漏らした。

「ええか、工場なんか継がんでええからな。こんなん、継ぐんやないぞ」

その時は、「ああ、そうなんか」と思ったが、今になって祖父がどんな思いでそう話したのか、色々と思いを巡らしてしまう。

それからしばらくたってこの工場、つまり私の実家は倒産した。高校に進級したばかりのことだった。その後は住む場所も転々とした。母子家庭なので母の苦労が伝わってくる。多感な時期のことだ。

「ここから抜け出したい」

その一心で高校に通うことをやめ、いわゆるガテン系のアルバイトを掛け持ちしながら独学で受験勉強に打ち込んだ。実際に抜け出したのだと思う。正直に言って、大学に進んでからは「ものづくり」の世界を顧みることはなかったので。

だが、新聞記者になって産業分野を担当することになり、あの幼い頃に見た「ものづくり」の原点がなんだったのかと何度も考えるようになった。この国の経済を支えているのは私の実家のような名も知れない小さな存在だということは、新聞にも時折書かれている。それは事実なのだろうが、なんとも言えない違和感を覚えずにはいられない。

言葉は悪いが、どうしてもうわっつらをなぞっただけの文字列に思えてしまうのだ。日本経済新聞の記者として「ものづくり」の世界を取材するとき、話を聞かせていただくのは圧倒的に大企業の方々が多い。ごく自然と話は世界に広がり、最先端のテクノロジーへと広がっていく。

取材者としていつも意識してきたのが、さらにその先に広がる私の実家のような典型的な町工場の存在だ。目の前の取材者が語るひと言が、どんな風にしてそんな「裾野」へと広がっていくのだろうか、と。

日本を代表する大企業と大阪の町工場街にあった小さなこうば――。置かれた環境はまったく異なるし、そこでの常識や、目に映る日常の風景も、飛び交う言葉も、全然違う。

だが、違うことばかりではないことにも気づかされる。時代の波に翻弄されながらも知恵を絞り、なんとか今を生き抜いて今日より良い明日をつくろうという、働く人ひとりひとりの思いが、それだ。

本書で登場するのは、誰もがその名を知る大企業ばかりだ。ただ、登場人物の多くは一般には知られざる人たちだろう。それぞれが与えられた現場で自分が生きた証を残そうともがき続けてきた人たちとも言い換えられる。

そこに組織の規模の大小というものはあまり関係がない。いつも油のシミで汚れた青色の作業着を着ていた今はなき祖父も、スーツを着た大企業の社長も、そこで働くサラリーマンたちも、みんな同じだ。

◇　◇　◇

この国の経済を支え続けてきた大黒柱のひとつが「ものづくり」であることに異論の余地はないだろう。そこで働く人たちはなにを見てなにを思い、世界とどう戦ってきたのか。時代の証言者たちの視点からその栄枯盛衰の歩みを描いてみよう――。そんな考えで日経産業新聞と日経電子版で２０２１年10月に連載を始めたのが、本書のベースとなる

「ものづくり記」だった。

毎回、会社ごとに連載したのだが、その会社や産業の歩みを象徴する拠点を舞台とし、そこで働く人たちがどんな思いでこの国の「ものづくり」の歴史を紡いでいったのかを再現しようというのが、連載の狙いだった。

このコンセプトは何度か議論するうちに日経産業新聞デスク（現・日経ビジネス副編集長）の中村元が発案したものだ。2年間にわたる連載では中村に続き世瀬周一郎、緒方竹虎がデスクとして参加した。

各章の執筆担当は以下の通りだ。

第1章「今治造船」　藤本秀文（菅野気宇が一部支援）
第2章「三菱重工業」　杉本貴司（石川雄輝が一部支援）
第3章「日本製鉄」　湯前宗太郎、杉本貴司
第4章「シャープ」　藤本秀文（佐藤遼太郎が一部支援）
第5章「日立金属」　杉本貴司、湯前宗太郎
第6章・第7章「ホンダ」　杉本貴司

書籍化にあたっての全体の再編集は杉本貴司が担当した。その上で日経BP・日経BOOKSユニット第1編集部長の赤木裕介が編集者として書籍化作業をとりまとめた。日経産業新聞編集長の松井健からは、連載にあたって様々なアドバイスや応援を受けたこともここに記しておきたい。

なにより、貴重な時間を割いて取材に応じていただいた皆さんのご協力がなければ連載「ものづくり記」も本書も生まれなかったことは言うまでもない。時に厳しい質問や思い出したくもない過去の記憶をほじくり返すような問いかけにも応じていただけたことには、感謝の言葉しかない。

最後にここまでお付き合いいただいた皆さんにお伝えしたい。

ありがとうございました。

取材陣一同

参考文献

＜今治造船＞
・内航ジャーナル『今治造船史』1977年、日刊海事通信社
・今治市産業振興課『今治の歴史　海事編』、今治市ホームページより
・『船造り一筋：喜寿 檜垣俊幸』、2005年、今治造船株式会社

＜三菱重工業＞
・中村洋明『航空機産業のすべて』2012、日本経済新聞出版社
・前間孝則『日本の名機をつくったサムライたち　零戦、紫電改からホンダジェットまで』2013年、さくら舎
・杉本要『翔べ、MRJ　世界の航空機市場に挑む「日の丸ジェット」』2015年、日刊工業新聞社
・杉山勝彦『日本のものづくりはMRJでよみがえる！』2015年、SBクリエイティブ
・イカロス出版『三菱航空機MRJ』2015年、イカロス出版
・山岡淳一郎『ものづくり最後の砦　航空機クラスターに賭ける』2016年、日本実業出版社
・「ミチテイク・プラス」大阪府立大学Webマガジン（2016年4月18日）
・日本経済新聞、日刊工業新聞、週刊ダイヤモンド

＜日本製鉄＞
・小野正之『鉄人伝説　小説　新日鐵住金』2013年、幻冬舎ルネッサンス
・黒木亮『鉄のあけぼの』2012年、毎日新聞社
・相田洋、NHK取材班、荒井岳夫『新・電子立国　第5巻　驚異の巨大システム』1997年、NHK出版
・ティム・ブーケイ、バイロン・ウジー『インドの鉄人』2010年、産経新聞出版
・山崎豊子『大地の子』1994年、文芸春秋
・杉浦明『新日鐵君津物語　房総の夜明け』2002年、大和美術印刷
・日本経済新聞、日経産業新聞、鉄鋼新聞

＜シャープ＞
・日本経済新聞社編『シャープ崩壊　名門企業を壊したのは誰か』2016年、日本経済新聞出版
・シャープ『シャープ100年史 「誠意と創意」の系譜』2012年6月版、シャープ
・中田行彦『シャープ　液晶敗戦の教訓』2015年、実務教育出版

＜日立金属＞
・『品質検査不正に関する調査報告書』2021年、日立金属
・中村隆一『一如案語録』1993年、日立金属
・山口敦『日立金属（5486）業績の低迷、日立グループの再編、いずれにせよ、構造改革は待ったなし』2020年、SMBC日興証券
・日本経済新聞、日経ビジネス

＜ホンダ＞
・本田宗一郎『俺の考え』1963年、新潮社
・本田宗一郎『私の手が語る』1982年、講談社
・藤沢武夫『経営に終わりはない』1986年、文芸春秋
・藤沢武夫『松明は自分の手で』1974年、産業能率短期大学出版部
・本田技研工業『TOP　TALKS　語り継がれる原点』2006年、本田技研工業
・本田技研工業『語り継ぎたいこと～チャレンジの50年～』
・ＮＨＫ取材班『ホンダF1　復活した最速のDNA』2022年、幻冬舎
・尾張正博『歓喜　ホンダF1　苦節7年、ファイナルラップで掴みとった栄冠』2022年、インプレス
・杉本貴司『大空に賭けた男たち　ホンダジェット誕生物語』2015年、日本経済新聞出版
・日本経済新聞、日経産業新聞、朝日新聞、日経ビジネス

著者略歴

杉本貴司　日本経済新聞編集委員

1975年生まれ、大阪府出身。京都大学・院・経済学研究科修士課程修了。日米で一貫して産業分野を取材。2020年より現職。著書に『ホンダジェット誕生物語』（日経ビジネス人文庫）、『ネット興亡記』（同）、『孫正義300年王国への野望』（日本経済新聞出版社）。

藤本秀文　日本経済新聞デスク

1968年生まれ、山梨県出身。早稲田大学政治経済学部卒。経済部、京都支社を経て産業部（現ビジネス報道ユニット）。以降、トヨタ自動車はじめ自動車産業や西武グループ、日本航空、ソフトバンクなどの経営問題、ゼネコンなど不良債権問題のほか、商社、エネルギー業界などを取材。

湯前宗太郎　日本経済新聞記者

1989年生まれ、兵庫県出身。慶応義塾大学経済学部卒。静岡支局を経て、企業報道部（現ビジネス報道ユニット）で鉄鋼、自動車、石油業界などを担当。2023年より欧州編集総局。ロンドンを拠点にヨーロッパの産業分野を取材。

ものづくり興亡記
名も無き挑戦者たちの光と影

2024年3月4日　1版1刷

著者　杉本貴司、藤本秀文、湯前宗太郎
©Nikkei Inc.,2024
発行者　國分正哉
発行　株式会社日経ＢＰ
日本経済新聞出版
発売　株式会社日経ＢＰマーケティング
〒105-8308 東京都港区虎ノ門4-3-12
装幀　沢田幸平（happeace）
DTP　朝日メディアインターナショナル
印刷・製本　シナノ印刷
Printed in Japan
ISBN978-4-296-11993-6

本書籍に関するお問い合わせ、ご連絡は下記にて承ります。
https://nkbp.jp/booksQA